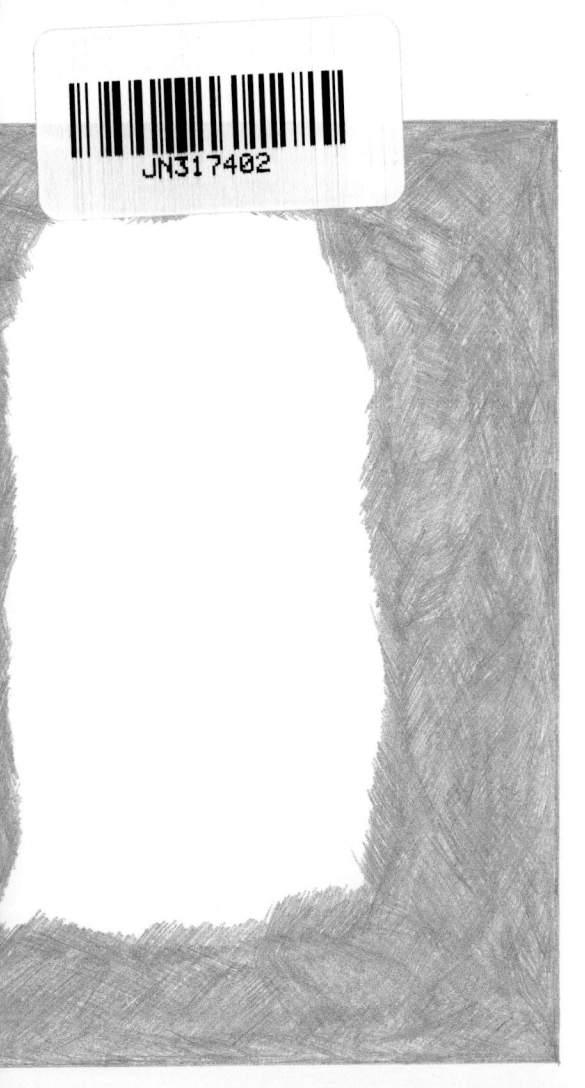

新潮文庫

みずうみ

よしもとばなな著

新潮社版

8583

みずうみ

中島くんがはじめて家に泊まった日、死んだママの夢を見た。久しぶりに人と同じ部屋に寝たからだろうか？

その前に人と同じ部屋に寝たのは、ママの病室でパパとママと三人で寝たときだ。目が覚めるたびに、ママの呼吸が止まっていないのに安心して、また寝た。病院の床は案外ほこりっぽく、いつも同じところにあるほこりのかたまりを眺めていた。あまり深く眠れず、ふっと意識が戻ると、いつでも廊下を歩いているナースの足音がした。そして「ここには死にそうな人がたくさんいるから、病院の外にいるよりもかえって安心できる」と感じた。

底の底にいるときは、その場所にしかない独特の甘みがあるものだ。

ママの夢を、ママが死んでからはじめて見た。

浅い夢の中に断片的に出てくることはあっても、こんなにはっきりと長く夢に出てきたのははじめてで、なんだか久しぶりにママにちゃんと会った気がした。

死んでいる人に対して変な言い方だけれど、そんなふうに思えたのだ。

私のママにはほとんどふたつの姿があると言ってもおかしくはなかった。そのふたつはまるで違う人格みたいに彼女の中で行ったり来たりしている感じだった。ひとつの姿はとても社交的で明るく世慣れていてせつな的でかっこいいほう、もうひとつの姿は繊細で、そよ風が吹いても散りそうに大きくふわふわとゆれる花のようだった。

その花のようなところはあまりわかりやすくなかったので、サービス精神の旺盛《おうせい》なママは、男まさりのさばさばした面だけを育てた。たくさんの恋愛で水をやり、人の評価を肥料としてだ。

ママはパパと結婚せずに私を産んだ。

パパは東京近郊の小都市にあるこれまた小さな貿易会社の社長で、ママはその東京近郊の小都市の盛り場にある高級クラブのまあまあ美人のママさんだった。

あるときパパが接待で連れられて店に来て、ママに一目ぼれをした。ママもパパにとても好感を持った。ふたりは帰りに韓国料理を食べに行って、げらげら笑いながら楽しくいろいろなものを注文して、仲良く食べた。そして次の夜も、その次の夜も、雪が降った日も、パパはママの店に通い詰めて、二ヶ月後にはすっかり恋人同士になっていた。二ヶ月かかったというところが、その知り合い方にしては本物っぽい感じがする。

そのときどうしてげらげら笑ったの？　と私が聞くと、ママもパパもいつでも、

「そこは日本人が一人も来ない店で、ふたりは深夜にうろうろ歩いてやっとそこを見つけた。そしてメニューが読めなくていろいろなものを適当に注文したら、全然知らないものとかものすごく辛いものが次々出てきて、量も全《すべ》て予想外で、おかしかったんだ。」

というようなことを口をそろえて言うのだけれど、きっと違うだろう。

そのとき二人は、お互いが目の前にいるのがただ嬉《うれ》しくてはしゃいでいたのだろうと思う。社会的にはいろいろあったのだろうけれど、私の前ではいつでもかわいい人たちだった。よくけんかをしていたけれど、子供みたいなけんかばっかりだった。

そしてママが子供をほしがったのですぐに私ができたけれど、最後までママとパパは正式に結婚しなかった。これもまた珍しいことに、パパにはほかに奥さんも子供もいなかったし、今もいない。

それでも親族の反対があまりにも強かったし、パパはママをそれに巻き込みたくなかったから、私は認知された私生児のままで育ってきた。

全てがよくある話なのだけれど、それでもパパはうちにいる時のほうが多かったので、私は全然みじめじゃなかった。

ただ、その環境に心底うんざりしていたのは確かだ。

あの街も、あの設定も、なにもかもうんざりなのだ。できれば忘れたい。ママが死んだのをいいことに、一生行かなくてもいいくらいだ。パパに会う以外にはほとんどなんの未練もないというくらいだ。私とママの住んでいた家は、親族の争いに巻き込まれないようにと、パパがすぐに売って私の口座に入れてくれた。慰謝料みたいでいやだったけれど、それがママの遺産ということになる。それだけで、私の痕跡《こんせき》はあの街からきれいさっぱりなくなったが、悲しくはなかった。

たとえば、昼間にママの店に行くと、全体的に暗くて薄汚れていて、酒やタバコの匂《にお》いがなんとなく残っていて、ものすごく空《むな》しくなった。ママの派手な服がクリーニングから返ってくると、太陽の光の下ではとても薄っぺらな服に見えた。あのような気持ち全体が私のあの街に対する気持ちだった。

それは、三十ちかくなった今でも変わっていない。

最後に会ったとき、パパはママに似てきた私のことを涙を浮かべながら見つめた。

「これからだったのになあ、老後はのんびりして、いっしょにあちこち行こうと思っていたのになあ。船で世界一周しようと言っていたのになあ。こんなことになるならパパの仕事がどうだ、ママが店を休めないからどうだなんて言っていないで、さっさと行けばよかったよ。」

パパはお酒も強いし人づきあいも好きだから昔は遊んでいたと思うが、ママといっしょになってからは、誰も他にはまじめにつきあわなかっただろうと思う。

そうでなくてはいけないという強迫観念があるせいでいっぱしの遊び人ではあるけれど形だけで、なにをしてもさまにならないタイプの、まさに田舎の禿《は》げたおじさんで、どこをどう見ても全然セクシーなところはない。とてもかっこうの悪い人だ。ほんものの遊び人が見たら、ふきだしてしまうようなまじめな人だ。

パパはもともと単純な人なのに、立場とか親の仕事を継ぐだとか、そういうことにがんじがらめになって生きてきたので、そしてそれから離脱する気もなかったようなので、地方都市の貿易会社の社長で、もともとは地主の息子であるという人が見てもわかる型の中でなんとかやるべきことを形だけやってきた、という感じがする。

彼の人生ではママだけが自由の香りのする花だったのだと思う。

パパはママと共有する空間を、決して他のものと混ぜはしなかった。まるでそこにいる自分がほんとうになりたかった自分だというように、家に帰ってきては屋根の修理をしたり、庭の手入れをしたり、ママと外食に出かけたり、私の宿題を見たり、私の自転車を修理したりしていた。

でも、ふたりはふたりだけの生き方を見つけるために、あの街を出てしまおうとはしなかった。あの中でいっしょにいることこそ、ふたりの生き方だったのだ。

今のパパがいちばん恐れているのは、私がパパと縁を切ってしまうことだろう。本気で恐れているのではなく、なんとなくひやりとそう思うことがあるのだろうと思う。

「もともと名字が違うのだから、今日からは赤の他人だ」と私に言われることがいつかあるかもしれない、と。

パパはたまに意味もなくお金を振り込んできたり、食べ物を送ってきたりする。

私はお礼の電話をかける。パパの恐れが電話口からひしひしと伝わってくる。

俺たちまだ親子だよな？　という感情が。

私はお礼を言うし、そのお金を受け取りはするけれど、これから親子関係がきちんと続いていくことに関する言葉をパパにははっきりと告げたことはない。そんなことを言わなくてはいけない関係だとは思っていないからだった。パパのほうがそのかすかな罪悪感からどういうふうに思っていようと、そしてたとえ私が縁を切ったようなつもりになろうと、パパはパパのままなのだ。

私のほうが、そのことには無頓着《むとんちゃく》でいられた。

いざとなったら力を借りるのはやぶさかではないが、なにか形になるものを買ってもらってしまうと、どうせ後から嫉妬《しっと》と欲にかられたわけのわからない人たちがそれを見に（あの人たちは、ようするに見たいだけなのだということも、よくわかった）やってくるから、面倒くさい。

私をあの街につなぎとめようとするもの全てが、面倒くさかった。最小限ですませたかった。

本人たちはそう思っていなかったと思うけれど、私から見たら、パパとママの足には鎖がつないであって、あの街につながっているように見えた。

だから、私はいつでも逃げられるということだけを大事にしてきた。ボーイフレンドができて、うっかり本気になってしまってあの街のホテルかなにかで立派な結婚式をしてしまったり、万が一妊娠でもしようものなら、それはもうおしまいだと思っていた。だから、同級生たちが無邪気に恋をしたり、結婚を夢見ているときにも私はずっと冷静だった。結果がなにに結びつくかを考えながら、行動していた。

そして高校を出たらさっさと東京の大学に行くのを名目にして、家を出た。

私は体で知っていたのだ。自分が受けている生ぬるいが確かな差別を。

「地元の名士の子供と言っても、しょせんバーのママに産ませた私生児だ」というムードは、パパがあの街でしか有名でない、その度合いに比例して強く私を取り巻いていた。

東京に来て、なにものでもない芸大生になったとき、私は軽さで浮き上がりそうになったものだった。

自分の母親の棺おけの中を、好奇心と興味と嫉妬でいっぱいになった人たちが、形だけ、とおりいっぺんの黒い服を着て、偽《にせ》の厳粛さで身を飾って、悲しげな顔にぎらぎらとしたまなざしをはりつけて見に来たときのあの気持ち……その取り繕われたいんちきな雰囲気を壊すために裸踊りでもしてやろうかと思うようなあの気持ちを、私は一生忘れないだろう。

汚い目線が刻印されることもなく、ママの遺体は火で浄化された。親が火葬されてあんなにほっとするとは思わなかった。ママの衣服も、美人さの度合いも、パパががむしゃらに手配してお金に糸目をつけなかったお葬式の規模も、彼らの好奇心をしっかりと満足させたようだった。

私は喪主としてあいさつをし、微笑《ほほえ》み、たまには涙をぬぐってみたりしたけれど、心の中で煮えたぎっていた皮肉な気持ちを誰にも告げなかった。

それは、形のないはずの人生に形をつけようとして四苦八苦している人たちには決してわからない高く清らかな、涼しい気持ちだった。

それでも近所のおばさんやママの数少ない友達が、あたたかい気持ちを投げかけてくれて、いい時間をすごし、暖かいお茶をいっしょに飲むことができたのはよかった。人生には必ずいい面もあるものだ。悪いことがあると、いい面がきわだって見えるのも、残念ながら確かなことだった。言葉には出さなくても、その人たちの目は言っていた。「あなたが傷ついているのはわかっているよ」と。

……それでも、お棺にすがって号泣するパパを見たとき、負けた、と思った。パパはママしか見ていないのに、私はしっかりよけいなもので気をわずらわせている。その世紀のラブロマンス（ふたりにとってだけは、だけれど）の前に、私は親を亡《な》くしてびくびくする小娘に過ぎなかった。もしかしたらそれは単に、夫と娘の違いなのかもしれないけれど。

そう、そしてその日、夢枕《ゆめまくら》に立ったのは、花のようなママのほうだった。薄い花びらがひらひらして、そのかげではにかんでいるような、懐《なつ》かしいほうのママだ。

ママは言った。あの、最後の日々を過ごした病室で。もうずいぶん長い間、起き上がっていることはなかったので、夢の中でベッドの背もたれにもたれて座っているのを見て、懐かしいと思ってしまった。

窓から風が入ってきて、光もきらきらゆれて、ピンクのパジャマがまるで修学旅行の女子高生のようで、ママはきれいなもやのなかにいるように見えた。お見舞いの花がママの光の中に溶けそうだ。

ママがまぶしすぎて、私は窓のさんにたまったほこりをじっと見ていた。ママは言った。

「ねえ、ちひろちゃん、ひとつ間違ってしまうと、私みたいに、一生いらいらして暮らすことになっちゃうんだよ？　いつも怒ったりどなったりしているっていうのは、結局人を頼りにしているっていうことなのよ。」

わかるわかる、ママはほんとうは人をしかったり、店をやっていくためにおとくいさんに頭を下げたり、忙しくて会いに来ないパパを電話でどなったり、そういうときにはつい「自分は正妻じゃない、内縁の妻だからしかたない」なんて言ったりするような人じゃなくて、そんな世間ずれした目は持っていなくて、ママは、ほんとうは野に咲く花のようでさえなくって、ほんとうに高くて誰も来なくて、鳥や鹿《しか》しか見ることのないような崖《がけ》の上にそうっと咲いている花みたいな、おそろしい繊細さと透明さを持っている人なんだよね、と私は思った。

そして、パパはそのことにちゃんと気づいていたのだろうと思う。彼なりの理解で、ちゃんと見ていただろう。

パパと気楽にしているときのママは、いつでも少女のようだったもの。ふたりは子供のようだったもの。社会だとか、世間だとか、そういうものがふたりをふたりきりにしておいてくれなかっただけなんだよね。

そしてふたりはふたりきりになる勇気とか度胸もなかったんだよね？　仮の人生をほんとうの人生の位置においたままで、終わってしまったんだね？

私は心で思っていただけなのに、夢だからそこは簡単で、ママはうなずいた。そして言った。

「ほんとうはあんなふうでありたくなかったの。お化粧も若返りの整形もほんとうはきらいだし、病院もこわいし、病院できれいになりたい人たちを見るのもこわかった。とにかくいつでも痛くてこわかったの。すすめられるとなんとなくしなくちゃいけないような気がして、していただけなの。それで、したらしたでこわかったからそれをごまかすために、笑い話にしたりしたけれど、心はいつでも傷ついていたの。

それに、パパにもいつだってがみがみ言いたくなかったの。でも、パパが離れて行くことをいつだって心配していたから、ぎゅうっとしがみついていたの。怒る以外にいろいろなあらわし方があったことはわかっているのに。いつのまにかこっちの道にきちゃって、こっちの道は、戻れない道だった。不安が不安を呼び、ごましのほうが反応が大きいから人気が出た。もう自分でも自分を止められなかった。それで、結局そのまま死んじゃった。

あのね、今のこの場所からふわ～っと全体を見ると、よくわかるの、いろんなことが。いろんなことが、後悔するとかではなくって、ほんとうは心配しなくてよかったことが、よく見えてくるの。だからね。」

ママは言った。今の場所って天国？　天国ってあるの？　と私は思ったけれど、ママはあいまいに微笑んだだけだった。そして言った。

「ほんとうに、見栄《みえ》っ張りのママにはこわいものが多すぎて、身を守るためにはそうするしかなかったの。でも、あなたはそうならないでね。いつでもおへそをあったかくして、頭に血がのぼらないように心も体も力を抜いて、お花みたいに生きてね。それは権利なの。生きているうちに必ずできることなのよ。それでいいの。」

ママはにこにこしていて、そうだ、おへそをあったかくしてっていうのは小さいときいつでもへそを出して寝ていた私に、ふとんをかけなおすときにママが言っていた言葉だわと思い出したら、夢の中でも涙が出た。

小さいとき、夜中にうっすらと目を開けるといつでも、ママがむきだしになった私のおへそをぽんぽんと優しくたたきながら、パジャマを直して、ふとんをかけてくれる光景を見たものだった。

「愛されているってこういうことだな、『この人に触っていたい、優しくしたい』そう思ってもらうことなんだ」と私は体でおぼえている。だから偽ものの愛には体が反応しないように、きちんとできている。そういうのが「育てられた」っていうことなのだろう。

ママ、もう一回会いたい。触りたい、匂《にお》いをかぎたい、と私は思った。

昼間は薄汚いあの店でさえも、今はないと思うと恋しい。

たとえすてきなところではなくても、そこは私の巣立ってきた場所だった。ママの匂いがする世界だった。うっとうしさと同じくらいにぬくもりもあったのだ、きっと。私はまだ子供で、親が必要だったのに、いつのまにかひとりで歩いていた。

夢の中では悲しみが倍になって、気弱さも大きくなる。押しつぶされそうなくらいに。

目が覚めても涙がぽろぽろ出ていた。

はっとしてとなりを見たら、中島くんがぐうぐう寝ていた。投げ出した腕がたたみにむきだしで出ていてちょっと寒そうだった。私はふとんを引っぱってかけてあげた。

いざ現実に戻ってみると、夢はそんなに悲しくなかった。ママの面影はしっとりと胸に残っていたが、やはり生まれ育ったあの街を恋しく思う気持ちなんかかけらもなかった。

なんで夢の中では突然子供に戻ったみたいになったんだろう？　と私は不思議に思った。きっと私の中にまだほんのちょっとだけ、過去に対する未練があるんだな、と分析できるくらいに、私は「今」に帰ってきていた。

今はもうない、あの部屋だけは少し恋しい。たまに帰りたくなる、子供の自分に戻って……と私は回想する。

日曜の朝、今ではありえないようなのんびりとしたテンポのＴＶ番組の音が流れ、パパはくつろぎながら朝とお昼がいっしょになったご飯を待ち、ママはキッチンでいろいろな輸入食材をためしてエスニックな料理を作っているあの幸せな雰囲気……ふたりとも少しだけ二日酔いで、今思うとそこには性の甘いけだるさがあった。そのけだるさがふたりをとても優しく疲れた雰囲気にしていた。子供の私はベッドから、その雰囲気をすばらしいものとして眺めていた。

そんな頃のあの街になら、戻ってもいいと思う。

そしてまた中島くんが寝ているのに気づいて、びっくりする。あれ？　なんで中島くんがここにいるんだろう、夢ならさめないで。

そうか、そうだった。中島くん、泊まっていくことにしたんだっけ。

だんだんと記憶がよみがえってきた。

そして、さっきふたりでいっしょうけんめいになって取り組んだまじめなセックスのことまで思い出して、私は少し恥ずかしくなった。今はふたりとも服を着て寝ていて、なにもかもがまるでなかったことのようだった。昔からこうして暮らしているようなのに、中島くんがいることにびっくりする。混乱しているような、落ち着いているような、おかしな感じだった。だからママの夢なんか見たのだろう。

こんな珍しい人がここにいるなんて、なかなかあることではない。

それに、私は勝手に中島くんは人と同じ部屋で長く過ごしたりしない人かと思っていた。ガールフレンドらしい人が部屋にいるところは見たことがあるけれど、なんとなく、いつもいっしょにいるような感じがしなかった。

昨日は中島くんが泣きながら、今を逃したら一生セックスなんかできない気がする、と言い出して、そんな大げさな、と私が言って、でもなんだかそんなことを言い出してくれた中島くんが気の毒になってきて私まで悲しくなり、しっとりした気持ちになった。

それでどうだったんだっけ？ 結局最後までしたんだっけ？ しなかったんだっけ？

お酒も飲んでいないのに、ところどころしか思い出せない。まあいいや、中島くんが逃げてしまったわけでもないし、と私は思った。

そしてまたママの面影がふわっと頭をよぎった。

ああ、哀《かな》しいけれどきれいな夢だったなあ、と私は思った。

私が会いたいほうの、めったに表に出てこなかったほうのママがそこにはいた。

ママはいつでもぱんぱんものを言い、なんでも笑い飛ばし、気位が高く、頼りになってさっぱりしているようすを装《よそお》っていたので、私までいつのまにかその底にひっそりとしていたママのほんとうの姿を忘れそうだったのだ。

でも私が小さいとき、たまにふわっと笑ったとき、ふとんの中で冷たい足をあためあったとき、雪の朝に新しい雪に足あとをつけながらはしゃいで散歩したとき……そんなときにママのほんとうの姿が永遠の童女みたいに現れ出てきた。

そういうことを思いながら、暗い部屋の中で中島くんの胸が上下しているのをぼうっと見ていたら、だんだん催眠術にかかっているみたいに気持ちがほっとしてきた。

中島くん、中島くん……変わった見た目の中島くん。

中島くんのたてに長い鼻の穴も、棒っきれみたいな手首も、長い指も、ぽかんとあいた口も、首筋の情けないような線も、ほっぺたが子供みたいにぷくりとしているところも、さらさらした髪の毛が目にかかっている様子も、その下に細い目と長いまつげがひそんでいるところも、好きで好きでしかたがない。いつかこの呼吸が止まり、中島くんが星になる日が来ても（これは全くどこかで聞いたたとえだけれど、ほんとうにぴったりとくる。彼には星になるのが似合いすぎる。そもそも彼は生きている感じが薄すぎるのだし、私は中島くんの魂と共にいるだろうと思う。それは恋というようなものよりも、もっとぎょっとするような驚きなのだ。だからのめりこめなくて、ただ眺めている。

「今日もここにいる、今日も彼は消えていない。そして今日もこの気持ちが続いている！」

と私は思う。

中島くん、この不思議な中島くんにひきつけられてやまない毎日を、私は新鮮に思う。中島くんといるようになってから、私のペースはすっかり狂っている。自分のことばかり考え、自分を通すことだけにいっしょうけんめいで、自分の理想の未来だけを見て突き進んでいた私、あの街から遠く離れることだけに気持ちを集中していた、根無し草だった私。しかし、中島くんがあまりにも強いので、私は圧倒されて、引きずられている。

ここにはまるで時間というものがない。世間とは隔離されている感じがする。中島くんと私がいるというだけで、時代もないし、年齢もない感じがする。

もしかして、これが幸せか？　などと思うときさえある。

時間が止まっていて、特に望みもなく中島くんを見ている。

それが幸せという気持ちだと感じるのだ。

ごく普通に生きてきたと言っていいのか、まあ、ある意味ではなんでもうわさになってしまう田舎の町で私生児だというだけで充分だという気もするけれど、私はほんとうになにも変わったところのない人間だった。

なので、私には少々変わっている中島くんが重すぎたのは確かで、どこか逃げ腰なおつきあいになってはいた。

中島くんの過去も、なにか大変な人生だったということしか知らないし、そのことについて深い話をしたこともない。

中島くんは亡《な》くなったというお母さんをほんとうに愛していて、お母さんの話をするといつも泣いた。くわしくは知らないけれど、そんなに素直に好きと思えるような育てられ方をしたのは確かで、愛情に関してゆがんだところは彼にはなかった。

そして、そんなだった中島くんのお母さんのように中島くんを思える人がこの世にいるはずがない。

そんなすごいことは受け止められないと思っていたから、かえって気楽に接することができたのかもしれない。

中島くんがうちで寝るようになるまで、どのくらいかかったのだろう。一年は少なくともたっている。

いつのまにか、なんのもりあがりもなく、自然に彼は夜、うちに来るようになった。

私がいれば夜来て、夜中にてきとうに帰って行くだけの淡々とした交流、それだけの日々もトータルで三ヶ月くらい続いた気がするのだが、さだかではない。でも、ちょうどルームメイトのような感じで、それぞれに部屋はあるけれどちょっと離れているというふうで、同棲《どうせい》のような感じは全然しないのだ。圧迫感もなかった。むしろ、中島くんがいるというだけで、胸の真ん中があったかいような感じがいつでもしていた。

私はもともとこのアパートに住んでいて、中島くんはそのななめ向いのアパートの二階に住んでいた。

私は窓のところで外を眺めるのがくせで、中島くんもそうだったから、窓辺でお互いに気づくようになり、いつのまにかあいさつするようになった。窓辺で目が合った人に窓辺からあいさつするような人たちは、都会では珍しかったのかもしれない。うちの田舎ではそれは当然のことだったし、中島くんはそういうのにこだわる人ではなかった。彼にはそういう凄《すご》みがあった。死ぬことをこわがっていないような、底の底で生きているような凄みだった。

それで気の合いそうな人だということがわかったのだろう。

窓にいる彼の細い感じが絵になっていたというのもある。たまに窓の柵《さく》から細い手がぶらんと出ている様子は、野生のおサルさんのようにきれいだった。

次第に私は朝、目がさめると窓を開けて、中島くんの窓を見るようになった。自分が着替えているかどうかとか、髪の毛がどうなっているかなんか関係ない。あれは親しい人だし、風景のようなものだ、と思っていた。どういうわけか、私たちが決して近づくことはないと信じていた。

そしてたとえ中島くんの姿が見えなくても、きちっと干された洗濯物や（彼の洗濯物を干すやり方はほとんど芸術的と言っていいくらいにきちっとしていた。あれだったら、とりこんだらもうすぐにアイロンもかけずに着ることができるだろう。それに比べたら私の干し方なんてただ丸めて窓の外に放り出しているだけみたいにいいかげんだった)、たまに中島くんの窓辺でくつろぐいかにも年上そうな女の人の姿なんかを見ると「あ、ガールフレンドを泊めたんだ、がんばっているな」と思ったものだった。

そうやって、次第に、一ミリずつ私たちは近づいていった。

冬が来ても、寒くてもなんでも窓の近くにいるのが好きな私は、よく中島くんと手を振り合った。

「元気?」と言うと、

「元気だよ!」と声は聞こえないけれど、そういう形に口が動いて、笑顔が返ってきた。

それはもうそこに住んでいるということの運命のようなもので、他の誰も、その感じを共有できなかった。毎日お互いの窓を見ているから、まるでいっしょに暮らしているような感じがしてきた。電気が消えたら「あ、中島くんもう寝た、私もそろそろ寝よう」と思い、私が帰省して戻ってくると、窓をあけたとたんに「おかえり！」と中島くんが向こうの窓から出てきた。

私たちが、お互いの動向をそんなふうに自然に気にしていること自体が、窓の開く音をさりげなく聞き分けている耳の感度が、もう恋のはじまりだったということさえ、気づかなかった。

やがて、ママを見送ることになった長い長い道のりの中、ふるさとと行ったり来たりをくりかえしていた私にとって、ここに帰ってくることは中島くんの窓明かりを見てほっとすることでもあった。そのくらいしか幸せなことがない、つらい日々だった。

向こうで死んでいくママやパパといい思い出はたくさん創《つく》ったけれど、夜のホームで自分の部屋に帰るために電車に乗るのはひとり、ママの子供も私ひとりだった。

それは、誰ともわかちあえない道筋だった。

夜のホームに立っていると、もうすぐママが死ぬという現実とこれまでの思い出と、普通に暮らしている人たちの出している退屈な空気が全部まじりあって、なにがなんだかわからなくなるのだった。自分がどこに属しているのか、大人なのか子供なのか、どこに住んでいてどこに根をおろしているのかがわからなくなって、頭がぐるぐるしてくるのだ。

じゃあ、中島くんを好きになったら？　もっとなぐさめてもらったら？　とか、もっと頼りにしたら？　とか、窓に浮かんでいる姿がもっと近くに来たら、もっといいんじゃない？　などと思う余裕は全くなかった。

その時期、まさにちょうどいいところに、中島くんはいたのだ。それ以上近くても遠くても絶対にだめだっただろうと思う。

窓と窓は道をへだててけっこう遠かったのに、ちっともそういう感じがしなかった。まるでつながっているみたいだった。声も車の音なんかで聞こえにくいはずなのに、不思議とよく聞こえる感じがした。闇《やみ》の中に中島くんの白い顔とくったくない笑顔が浮かんでいると、どんなことよりもなぐさめられた。

ママを看取《みと》ったあとも、別にそのことを中島くんには言わなかった。道でばったり会うとたまにお茶をすることがあったのだが、そのときはお葬式があって長く部屋をあけていたので、三週間ぶりくらいに帰ってきて、掃除をして、スーパーに食材を買いに行ったらばったりと会ったのだった。ふたりはスターバックスに行って、窓に向かっているカウンターで並んでお茶を飲んだ。

そんなふうににぎやかな感じも、コーヒーの匂《にお》いも、若者たちの話し声も、全《すべ》て久しぶりでなんだかくらっとした。こういう、生きているものたちの普通の生活は、幽霊になったらいちばん恋しいものだろうと思った。こんなに平凡でくだらないことがきっといちばん懐《なつ》かしいのだろう。

「これからはもう週末帰らなくていいんだ、ふるさとに身寄りがほとんどなくなったから、たまにしか帰らないでいい。」

と私が言うと、中島くんは熱そうに顔をしかめてコーヒーをすりながら、

「お母さんが亡くなったの？」

と言った。

「なんでわかるの？」

私はびっくりした。

「このところ、すごくしょっちゅう帰っているから、なんとなく……。」

中島くんは言った。全然説明になっていなかった。私の力の抜けた様子で察した

んだろうな、やはりものごとの様子に敏感な人だな、と思った。窓を見ると、今の私は普段よりもひとまわり小さく見える。ちょっとしぼんでかすんだような感じがする。確かに、見る人が見たら、親を亡くしたって一目でわかってしまうだろう。

「でも、これからは週末、俺は淋《さび》しくない。悪いけど、嬉《うれ》しい。だって、すごくつまらなかった、先週も先々週も、君の窓が真っ暗で。君の窓はうんといい窓なんだ。ほかと比べるとすぐにわかる。うるさくなくて、雑じゃなくて、静かな光がともってる。」

「ほんとう?」

親が死んだのを喜ばれてもなあ、と思ったが、とおりいっぺんのお悔やみばかり聞いていた私にはその正直さがしみてきた。

「うん、ちひろさんの窓明かりがないと、つらくて淋しい。」

中島くんがちひろさん、と言うと、私の名前が宝物のようにいちいち輝いた。それを私は不思議に思った。あれ? 今、光った。もう一回呼んでみて、と。

でも、そんなことは言えなかったので、自分の内側でだけその呼び方を反芻《はんすう》した。そこにはそのとき彼に初めて感じたセクシーなときめきだけではなく、なにか誇らしいものがあった。

「じゃあ、帰ってきてよかったかも。」

私はそう言って、涙がこらえられなくなって少し泣いた。

「おふくろが死ぬのってつらいよね。僕も、すごくつらかったよ。」

中島くんは言った。中島くんのバックグラウンドをよく知らなかった私は、そうか、この人もお母さんがいないんだ、とだけ思った。

「うん、でも人間みんなが通る道だからね。」

私は泣きながら、言った。

手に持った大きなカップのチャイを抱きしめるような感じで、そう言った。するとなんだか突然いろいろなものを見てしまったことや、もしかして帰るところと家族を失ったかもしれないという恐れが、少し減って、ふっと自由に、楽になったのだ。

そしてその次の次くらいの週末から、中島くんはうちに普通に来るようになった。まるで、あちらの窓からこちらの窓にふっと来たような感じで、なにも意識を変えることはなかった。

　ある日、やっぱり道でばったりと会った時に、

「ところで、ちひろさん彼氏今いる？」

　と聞かれた。

「今はいない。週末しかあいてない忙しい編集者とつきあっていたんだけれど、看病生活に入ったら全く会えなくなってふられた。」

　と私は答えた。

「ふうん、要するにそいつよりもママが大事だったってことだね。」

　そいつ、という言い方が微笑《ほほえ》ましかった。

　中島くんのすることはなんでもかんでもかわいらしく思えた。いつでも彼には甘い私だった。もう、時間をかけて窓辺で向き合い、それを小さく積み重ねて心の奥底の深いところでなにかをつなげてきたものだから、表面は波立たないのだ。

　私は答えた。

「そういうことみたい。だからなんだかそんなに悲しくなかった。時間をやりくりして会うほうが、うんと大変だったの。なんだかいなくなったらほっとして。だっ

てとにかくひとりの時間がほしくて、あとひたすらに睡眠が取りたかったんだもの。」

私は言った。

「そうか……。」

中島くんはうなずいた。うなずくときにちょっとしかめ面《つら》になるのが、彼のくせだった。

そしてその日の夜から、彼は家に遊びに来てくつろぐようになったのだった。いっしょにごはんを食べたり、焼き鳥を買いに行ったり（お互いに、特に中島くんがあまり外食が好きではなかったので、外の店に飲みに行くことはしなかったのだ）、かわりばんこに風呂《ふろ》に入ったり、湯上りにビールを飲んでしゃべったり、だまっていたりするようになった。

中島くんが部屋にいると部屋が奇妙に明るくなり、なんだか生まれて初めて「友達がいる」「ひとりじゃない」そういうふうに思った。

私は、勝手に中島くんはゲイで、たまに泊まりに来ていたのは友達の女の人で、そういう方面の処理はきっちりと外でできているのだと思っていた。なんとなく性欲が薄そうだし、異様に細いし、たまに食べるときはすごく食べるけれど、食べないときはほとんど食べないから全体的にエネルギーが少なそうだし、女の人の出入りはあっても深入りしていなさそうだし、夜中に出かけたりするのはたぶん同志の集う界隈《かいわい》に出かけているのだと思っていた。あるいは自分のプライドのためにそう思いたかったのかもしれない。あまりにも私に興味がなさそうだったからだ。多分目の前で着替えても恥ずかしくないのではないかというくらいに。

昨日の夜中、中島くんはものすごく帰りたくなさそうだった。あまりにいろいろな言い訳を並べて帰らないので、私はつい、

「家に借金取りか昔の彼女でも来ているの？」

と聞いてしまった。

「今日は、昔よくないことがあった日みたいで、なんだか落ち着かないんだ。僕の頭と体は妙に記憶力がよくて、いやな記念日には絶対に調子がおかしくなるんだ。」

中島くんは言った。

「でもごめんね、そのよくないことについて、今は話せないよ。細かく思い出してしまうと、ますます落ち着かなくなるから。」

ここは私の部屋なのに、遊びに来ておいてなに勝手なこと言ってるのよ、と言いたかったが、中島くんのようすは切実に見えたし、なんとなく重そうな話だったので、私はとりたてて何も聞かないことにした。

ただ「泊まっていく？」と聞いてみたら、うなずいたので、まあいいやと思った。

ふとんを並べて、まだ電気をつけて私は本を読み、中島くんは「この番組観《み》てもいい？」と言ってTVで映画を観ていて、ずいぶんと長い間会話をしなかった時間があった。映画が終わって、中島くんがTVを消したので、私もそろそろ寝ようかな、部屋に人がいるといいな、人の音がして何だか安心するな、と思いながら、本を閉じたときのことだった。

「実は、僕って、そう簡単にセックスできないんだ。」

と中島くんが天井を見ながら言った。

「へえ、そうなんだ……。」

と私は言った。愛の告白をされたような軽い驚きがあった。わざわざそういう話題になることを避けているのだと思っていたからだ。

私は、大切な人を亡《な》くしたあとは、性欲がなくなるものだ。まるで自分から水分がなくなったようになる、ということを身をもって感じている最中だったので、もしも中島くんがぎらぎらしていたら、家から追い出していただろう。だからなるべくそういう話題や雰囲気になることを私もさりげなく避けていたのだった。

今、そういうことでこじれて中島くんを失ったら、かえって落ち込んでしまう、それもこわかった。

看病疲れで、私は当分もう、誰とも寝る気が起きないような気がしていた。毎日お尻《しり》とかおまるとか尿瓶《しびん》とかばかり見ていたのも関係あるかもしれない。しかも病院にいるとママが検査に行っているときなどはけっこうひまだったので、となりのベッドのおじいさんの世話までたまにしていたくらいだ。

人間は肉、水のつまった肉なんだということに少しだけ疲れていたのかもしれない。

パジャマを着替えさせるとき、ママの襟元から、水の匂いとしか言いようのない匂いがむわっと立ち上ってくる。今は懐かしくてまたかぎたいくらいだけれど、そしてできればあのときに戻っていつまでもかいでいたいけれど、そのときは「ああ、人は、水でできている」と思って気が重くなったものだった。

中島くんには言わなかったが、前の恋人と別れたのもセックスを求められて応じなかったのが原因だった。

彼の仕事が忙しいので会えても土日だけとなると、必然的に平日の夜中か、日曜日の夜に彼が突然やってくることになる。そしていっしょに寝ることになるが、私はとてもとてもそんな気持ちになれなかったのだった。これがまたその男っていうのがとにかく元気いっぱいで、朝でも晩でもいつでもどこでもやりたがる奴《やつ》だった。元気なときはそういうのも楽しいものだけれど、他にやることがある場合は全然楽しくない。つまり、私はその人のことを全然好きじゃなかったのだ。たまたまやりたいときに出会ったセックスフレンドみたいなものだったのだ。恋のはじまりの勢いで、それを彼に対する好意と勘違いしていたみたいなのだ。

そのことがどうしてわかったのかというと、自分でも気づかないでいたのだが、彼がいるとき、私が窓を開けたくないということに気づいたから、わかったのだった。

私の部屋でくつろぐその人を、中島くんに見られたくなかったのだ。誰に関しても、もしもそういうふうだったら、それはもう、だめということだろうと思う。

かといって、その、お気に入りの中島くんがうろうろしているというのに、ああいうことは元気でないとできないものだな、と私のほうも最近では不思議に思っていた。若い男の人といるのにぜんぜんムラムラした気持ちにもならず、何もがまんしていなかった。だから中島くんの内面のことなんてちっとも考えていなかった。

もしかしたら好きになっていけるかな、と軽く思っていたくらいだった。

そんなこと信じられないとは思うが、中島くんには、なんでもいつのまにか納得させてしまうような独特の雰囲気があって、その中で憩《いこ》っていると異様なことも異様ではなくなる感じなのだ。

たとえば、私は中島くんといるようになって、はじめて自分の考えてきたことや、これから考えていくことがほんとうにはっきりとしてきた。それは彼のたたずまいにブレがないからだった。私が日によってふらふらと思うがままに変えてきたことや、小さな罪悪感から自分をねじまげようとしていたことの数々、たとえば、両親のあり方や母の人生についての辛辣《しんらつ》な感想など……にはっきりと気づいた。たとえば自分が、中途半端《はんぱ》に世間にすりよっていこうとして、そのまま死んでしまった母親に共感できないということを、心のどこかで悪いな、と私は思っていた。共感しなくちゃいけない、人間は弱いものだ。田舎では人はそう強くは生きられない。私は独り身だし都会に住んでいるからそのことを忘れそうになっているが、田舎ではまだまだ人とのつながりが大事で、母もそこに属していたのだから、自分が傲慢《ごうまん》なのだ、なおさなくちゃいけない、と思いこんでいた。

でも、中島くんと会ってから、彼が最低限自分の好きなことしかしないためにただ毎日をひたすらに生きている様子を見て、私ははじめて自分の「ほんとうはできないくせに、人と違うのがこわいから、すりよっていこうとしている」母と全く同じ種類のスケベ心に気づいた。

そんなものがこれからの人生にとって何になる、と思ったとき、私は母と自分の人生はどこからどう見ても全く違っていくだろうことに気づいた。時代も、考え方も、大切にしているものも、何もかも違う。しかし、それは母を好きではないとか、尊敬できないとか、許せないということとは違っていた。そしておそるおそる表面のにせの共感をはぎとったら、そこにはつるりとした新しい許しの気持ちが生まれ出てきたのだ。

ああ、これが大人になるということなのか、と私は自分の中の新しい感情を見つけてさとった。そしてひとりで生きてきた中島くんは、もうとっくに大人なのだと、私は今更気づいたのだ。

そんなに大人で、そして彼が弱く見えても男というものだということに。

「だから、別にこうしていてもちひろさんに魅力がないわけじゃないから、ごめん。」

と中島くんは闇《やみ》の中で私を見つめて、恥ずかしそうに言った。

「いいよ、別に。だいたいさ、誰がそんなこと望んでるって言ったの？　私の側の気持ちはどうやって判断してるの？」

私は言った。

「ええ？　女の人ってそういうものなのかと思ってた。親しくなっても手を出さないと、みんなやがて怒り出すから。」

中島くんが言った。

「今のところ怒ってないよ。それに、親しくなっていく途中というか、なんて言うんだろう、そういうふうには実は、あまり考えていなかったみたい。」

私は言った。

「安心して。」

「うん。あの、僕、ほんとうにいろいろあったんだ。昔。それで、もう、こわくてこわくて震えるほどいやなの、そういうことが。人と裸で触れ合うのとか。人の裸とか。こわくて銭湯にも温泉にも行けないんだ、信じてくれる？」

中島くんは言った。

何があったか知らないが、とにかく大変そうだった。

「人の大変な話を聞くということは、もう、お金をもらったのといっしょで、絶対にそのままではすまされないよ。聞いたという責任が生じてしまうの。」

というのはママがよく言っていた言葉だ。私は、せちがらいなあ、と思いながらも、それは多分真実だろうな、と思った。

なので、人が大切な話をしようとすると、一歩引くくせがついていた。

親が水商売をやっていると、大変な話には決して上限がないことをずいぶんと幼いうちに知ってしまう。学生になってから「実は」と女友達がうちあける不幸話なんて、子供の遊びに思えてしまう。耳年増《みみどしま》と言ってもいいだろう。

それから、セックスをしたのしないのっていうのが、実はあるレベルではたいしたことではないというのも、すごく若いうちにわかってしまう。

「言わなくていいよ、そんなつらいことなら、ますます言わないで。」

私は言った。

「私は、自分がもしもそういう気持ちになって、それでもまだ中島くんがつかいものにならないようなら、遠慮なく他に彼氏を作って、あなたのことを追い出すから。情け容赦なく、そうするから。だから、ほんとうに気にしないで。今は、私もそんな気持ちになれないときなの。ほんとうだよ。」

「……うん。」

中島くんは静かに泣き出した。

私は、急に小さい子供を見るような感じがして、切なくなった。小さい子供みたいに泣くからだ。行き場がない、神様にだけ公開している感じの泣き方だった。抱きしめてあげたかったけれど、きっとそういうのもこわいかもしれない、と私は思い、

「手、つないで寝よう。」

と言って、中島くんの手を取った。もう片方の手でずっと目を押さえていた中島くんは、ますますそれで泣いてしまった。私は中島くんの細くて冷たい乾いた手を、ずっとぎゅうっと握っていた。

あとからではもうどうしようもない、とりもどせないことがあるんだ、とその手の熱さは語っていた。なんだかよくわからないけれど、彼は昔だれかから、性的な虐待《ぎゃくたい》を受けたことがあるのだろう、と私は思った。一回、ぐちゃぐちゃに壊されてしまって、あとからでは修復することができないところまで行ってしまった、あるいは時間がかかるっていうことがあるんだ、と私は思った。

悪いことをしたな、と思った。自分の経験していないことにはいくらでも無神経になれる。中島くんがどんなふうにゆがんでいるかは見当もつかなかった。

きっと私の示す普通の女としての小さな親しみの表現のひとつひとつが、彼を追

いつめていたのだろう。

一方、さっきの告白のときの異様に汗ばんだ顔とかを見ると、なんとなくこわくてそしてうっとうしい感じがした。今はまだ私も疲れ果てているし、なにかを始めるにはばてすぎているけれど、もう少ししたら恋をして、もっと若く楽しく過ごしたいな、そう思っていた。映画に行ったり、けんかしたり、待ち合わせたり、外で(中島くんの嫌いな外で、なのだ。)おいしいものを食べたり、そういったことをして、人生の時間をむだに雰囲気よくすごしたい。重いものには向き合いたくない。そう願っていたのだが、この人とつきあっても温泉にも行けないようだし、セックスは苦行になってしまう。そんなことはいやだなあ、楽しく生きたいなとそのとき、まだまだ軽く私は思っていた。

しかし、鼻声で、小学生の男子みたいな目で、中島くんは言ったのだ。

「ためしてみてもいい？　できるかどうか。今できないと、一生できない気がする。」

それで、別にいいよ、と私は答えたのだった。

全部服を脱ぐとこわいというので、私たちはパジャマを着たままでごそごそと触りあった。中島くんは変わった体をしていたし、なんだかあまり楽しくなさそうだった。悪いことをしていると思っている人としているみたいなセックスもどきだった。

この人と、これからずっとこんなことをするっていう気になるには、私が一段階ものの見方を変えないとな、なんていうことを考えながらの、実に変わった感じだった。

でも、互いの動きのところどころに何か光るものがあり、希望がなくはなかった。

それが、ふたりのはじめての夜の思い出だ。


母を見送ってから、いろいろなことの流れが急に変わったみたいだった。

ふるさとにしょっちゅう帰らなくてよくなったし、中島くんは家に来るし、いつのまにこうなったのだろう？　となんだか毎日変な夢を見ているようだった。知らない人の夢の中にいて、そこで暮らしているような感じがしていた。あんなことがほんとうにあったのかな？　とぼんやり思い出す。骨だとか、火葬場だとかのことを。

ひとつ大きな仕事も入ってきた。

私はもともと壁画専門の売れない画家だった。

変わった色使いが特徴でたまにＴＶに取り上げられたりするし、女ひとり（でも運転ができないので、たいていバイトの子を雇って行くのだけれど）単身でどこにでも行くので、けっこうあちこちから仕事が入ってくるのだった。知名度はそんなでもなくても、そういう仕事は実はいつでも必要とされているもので、私はとぎれなく人の家の壁だとか庭先だとか壊れかけた水族館の壁だとか町内会の納屋《なや》だとかに絵を描きに行っていた。自分の絵を屋外に記したい、というのが目的なので、なにを描いてくれという注文には基本的に応じなかった。果物を、とか動物を、とか海を、とかそういう漠然とした望みには、話し合ってある程度は応じてきた。これまでに二十の壁や倉庫や公園の遊具に絵を描いた。

かといって、私が切実にそれで食べていきたいと思っているかというと、それほどでもない。一度やってみたら評判がよかったので続けているだけだ。

私は壁画を描いているあいだの生活の感じが好きなだけで、芸術的価値にはさほど価値をおいていなかった。

どうせいつか取り壊しになったり、行政のつごうで塗りなおされたりするのだから、細部にこだわってもしかたない。ひととき楽しく描けて、描いているあいだにその周囲にいる人たちとしゃべったり仲良くなったりして、しばらくのあいだその絵が近隣の人をあたためてくれれば、それでよかったのだ。

今度絵を描くことを頼まれた壁は、私が通っていた芸術大学の敷地の中にあった。大学の敷地と、元幼稚園で今は私立の幼児教室になっている建物のまわりの空間をしきる低い壁だった。大学の側には古い壁画が描かれていたが、幼児教室側はただ黄色に塗られているだけで、そこになにを描いてもいいということだった。

なんといっても近所だし懐《なつ》かしい建物なので、その幼児教室でピアノの先生をしている元同級生のさゆりからその話がきたとき、私はふたつ返事で引き受けた。幼児教室の建物自体もとても古いけれどとてもかわいく、この町出身の建築家が子供のために後の世に残せるような斬新《ざんしん》な建物にしようといっしょうけんめい工夫して建てたものだった。

私は在学中からそこの塀の形や園舎の形、子供向けにできた庭やつき山の小ぢんまりとしたところなどが見れば見るほど大好きで、よくそこの塀にもたれては、子供たちの様子を眺めながらお弁当を食べたりしていた。もしも自分が子供だったら、こんな建物で勉強したいだろうな、と思うくらいにあたたかい建物だった。

老朽化が進んで危険だし修理したほうがよほどお金がかかるということで、その建物を取り壊すという話がどこかで出たようで、TVの取材まで来た。地元の建物を守りたい人たちと、その人たちに頼まれた壁画描きというテーマで、インタビューにまで答えてしまった。

でも、そういった政治的なことには私は深く関わっていなくて、建物の性質上子供たちがしょっちゅう通りかかる場所なので、私はそのチビたちと遊びながら、彼らの目を見て、そこで感じたことを壁にやきつけたいと思っていた。この春はずっとそればっかりだろうと思った。その先のことは考えられない。先のことなんて考えたって、しかたない。

ものをつくるってそういうことで、いかにもいろいろ自分で回しているようだし、インスピレーションも自分に降ってきているように思い込んでいるが、ひとりじゃほんとうはなんにもできないのだ。

子供たちは絶対に場を助けてくれる。そして、いっしょに壁に永遠を刻める。たとえ壁が取り壊されてもなくならない永遠だ。そんなもので充分だった。

最近看病だとか葬式だとか慣れないことをたくさんしたので、そしてそういうことでしみついた世間の垢《あか》のようなものを、仕事に打ち込むことですっかり落としたかった。

ママの看病で必死だったときは、自分が大変だということで頭がいっぱいで、でもいつでもなにかすばらしいことや光のほうを目指していたので、全然大変ではなかった。ふっとしたときにママとしゃべれないのがすごく不思議だったくらいだ。ママのためにいろいろ考えているのに、ママは意識不明だったり、ぼんやりと無関心だったりした。それだけが切なかった。

午後のミーティングは順調にすすんだ。

幼児教室の園長さん……アメリカの幼稚園で働いていたというご夫妻……とも和やかに話したし、生き生きとした動物でも描こうか、ということで話はまとまったし、壁の多少のでこぼこが気になったけれど、目地を埋めるとすごく時間と予算がかかってしまうので、とりあえずやめることにしても下塗りでごまかせそうだし、下が土なのでビニールシートをしかなくていいことがわかった。

それだと作業がぐんと楽になるし、市からお金が出て全部で五十万円くらいはもらえそうなので、運転できない私でも数日間ならバイトの人を雇う余裕もありそうだ。人を雇えれば、車を出してもらったり毎日二十缶くらいの水性ペンキを運ぶのも楽だ。はしごも学校のを借りることができたし、うまくすれば倉庫のあいているところに道具を置けるかもしれない。なかなかいいすべりだしだった。半分は公共の場所を使ってやるこういうことは、ひとたびつまずくとずっともめるものなのだ。今回はいい感触だった。

そして、今日も帰ると中島くんが家に泊まりに来るかな？　と、ひとりで壁の長さを下見しながら、私は思っていた。

うきうきはしなかったけれど、じわっとあたたかい気持ちになった。

まるで恋人ができたばかりの人みたいだ。

でも、もしもこの先、私に燃えるように好きな人ができて、彼が家にいるのが不都合になったらどうしようかな？　とふと思うことはあった。まだなんとも言えない気がした。彼には私に対する決定的な影響力があるけれど、それと大恋愛は別かもしれない。

今が楽しいから何も考えていないが、もっと深入りしてからそうなると、困る。

しかも、もしもそんなことになって彼を追い出したりしたら、彼はどうなるのだろう？　自殺するか気が狂ってしまったりしないだろうか？

自分にはそんなに深い心の傷がないので、過去に大変なことがあった人の気持ちが全然わからないのだった。わかると思ったらだめだろう。わからないものはわからないと思うのが、そういう人に対しての誠意だろうと思う。

でも、中島くんを好きで居続けることは、多分大丈夫だろうと思う。

慎重すぎるほど慎重に歩んできたし、しだいに私は中島くんを好きになっていっている。ひかえめに言っても、他の人ではどうもだめそうなくらい。彼には何か決定的なものがあった。

たとえば家を建てようと思ったとき、土地を探して、設計士を頼んで、壁の素材のひとつひとつを自分で選びたいという人もいるだろう。でも、私の場合はそういうタイプではなくって、行き当たりばったりで見つけたものを自分なりにていねいに見つめていくのが好きだった。

同じ壁画描きでも、壁の目地をきっちりと埋めて、全く白紙のカンバスを作り上げてから、周囲の色との調和を考えてモチーフを選んで、手元に描いた絵をちゃんと分割して拡大するタイプの人もいる。

でも、私はただ描くことが楽しくてがんがん描いていって、そこで創作のための不都合が出てきたらなんとしてもクリアして完成させる、というタイプだった。とにかく現場主義で、なにがなんでも現場にいるし、頭の中で考えたことなんて全然信用していない。物事の様子と、時間の流れを見ながら、体を動かして、なるべく屋外にいたい。

すると全《すべ》てが終わったあと、そこには意外な調和が生まれていることが多い。そんなとき、私は世界とリアルタイムでダンスを踊ったような気がするのだ。

その場所と、そこの土と、体を使って夢中で踊った感じ……そして永久に別れを告げて、次の土地へと向かうのだ。

もちろんそれが雑なやり方だということはじゅうじゅうわかっている。でも私にとって壁画はまだ趣味に近いものであって、ほんとうの職業ではなかった。だからそれでいいのだと思っていた。これから職業にするかどうかを考えるところだったし、その方法で出てきた不都合なことはそのときどきに、自分に合ったやり方で改善されるだろう。そうやって職業になっていくのかもしれない。このやり方を極めていって、ほんとうにうまくいけば、そこにはおのずと結果が出るだろうと思い、静かに進んでゆく、まだまだそういう段階だった。

私のやり方を悪く言う人ももちろんいる。あの技術で、あのへたくそな絵で、有名人ぶって取材なんて受けやがって、というようなものだ。でも、私にはただひとつだけ、絶対にゆずらずにとぎすまされたやり方をしていることがある。

それは、外に描いている絵なのだから、そこに何十年残っても古くさくならないかどうかということを考え抜いていることだった。

はじめによく景色や場所に漂う気の流れを見つめておけば、おのずと合う色やモチーフが見えてくる。それを読み間違えず、ほんとうにうまく周囲と調和していれば、私の精神がだらっとなっていなければ、その絵は十年たっても二十年たっても、もしかしたら百年でも古くはならないのだ。そこだけは自信があった。まるで大工の棟梁《とうりょう》が自分の建てた家に誇りを持つように、その点だけは私ははっきりと決めていたのである。決めて、絶対にゆるがさなかった。あいまいにしなかった。世界に対して、犬がおしっこをしてしるしをつけるみたいに、自分の小さなマークをつけて挑んでいたのである。

恋をそのこととといっしょにしてしまっていいのかどうかはわからないけれど、私と中島くんの間には、やっぱり準備とか計画とか空想するとかいうところは、全然なかった。いつも目の前の中島くんと、二人でいる現場で進めてきた。

それで、実感を持って思っているのだから、しかたない。

中島くんみたいな人は、あんな変わった人はこの世にひとりしかいない、と。

あんなふうにすっと夜の窓辺に立てる人を他に見たことがない。彼ははなからこの人間の社会を信用していなくて、外側に立っている。そのたたずまいは哀《かな》しいような強いような感じがして、私はいつでもじっと見てしまうのだ。

あの頃、窓辺に立つ彼のシルエットを見ていた私は、今思うと、まるで片想《おも》いをしている中学生みたいだった。その形を目に焼き付けたかった。どうしてあんなふうに美しく立てるのだろう、そういうふうにだけ思った。

切ないなあ……。

と、私は枯れ枝を見上げながら思った。枯れ枝の形は広げた手のひらのようで、そのあいだから冬の終わりそして春のはじまり特有の弱い光が差していた。

ここには毎日通っていたので、この場所のことは知りつくしていた。多分おかしな絵を描いてしまうことはないだろう。それでも何か見落としたところはないかと、私はしばらくそこに立っていた。少し悲しいような、嬉《うれ》しいような、そういう絵にしよう。もやもやしたイメージは美しい影のように、すでにその壁に映りつつあった。

「ちひろちゃん、もう帰る?」

この壁画の話を持ってきたさゆりが声をかけてきた。ピアノのレッスンがちょうど終わったところらしい。夕方になるとまたどっと子供たちがやって来るから、休憩のひとときなのだろう。

こうして人の毎日のリズムに参加するのは、旅みたいでとても面白い。

「いいよ、お茶とかする？」

私は言った。

「そこまでは時間がないかもしれない。」

さゆりが言ったので、私は二本買ってきてあった缶コーヒーを一本あげた。

「まだあの彼が気になっているの？　風変わりな。痩《や》せてる。頭のいい大学に行ってる人。」

さゆりは言った。

「そうそう、前にちょっと話したじゃない？　中島くん。気になるどころか、なんだかいっそうつきあっているっぽくなってきてるよ。」

「なんの勉強してるんだっけ？」

「染色体の研究って言っていたけれど、それが具体的になにをすることなのか、実は全然わからないの。今はヒト21番染色体導入によるダウン症候群の……なんとか……という論文を書いているらしいけれど、むつかしくて、いくら説明を聞いてもわからないんだよね。だいたい英語で書いてるもんね。だから、盗み読むことさえもできないのよ。」

「覚えることさえできないくらいむつかしいんだね。あんたが全然わかってないということだけはわかったわ。でも、彼のいちばん大事にしてることをそんなにわけがわからないわりには、けっこう続くね。」

「そうなのよ、せめて文化人類学とか民俗学とかフランス文学とかであってくれたら、どんなにかよかっただろうと思うんだけれど。」

「まだ、多少は理解できるものね。」

「まあ、わからないからいいというのもあるかもね。私は、今の毎日がわりといいみたい。かつてないほど心がおだやかなの。」

私は言った。

「落ち着いていて、静かで、でもなにか激しくて、水の中にいるようなの。世の中のことがどんどん遠くなっていく。これからもっと盛りあがることも想像できないんだけれど、別れるところも浮かばないっていうか。」

「つきあってまもないのに、早速もうそんな境地に？」

さゆりは笑った。

私は言った。

「私は何も聞かないけれど、彼が昔、なにかしら大変な目にあったということだけはわかるの。いっしょにいると、そういうことはわかるものじゃない。だから、なるべく急がないようにしようとしていたら、落ち着いてしまったみたい。もっと問いつめたり、なんとかすべきなのかな？」

「いいんじゃない？　いい感じなら。でも、そのとんでもないことがほんとうにとんでもないことでないといいね。犯罪とか、夜逃げとか、破産とか。まあ、それでもいいんだけれど、それが今でも問題になるようなことでないといいな。」

「うーん、そういう感じのことは、多分彼の人柄からして、ないと思うよ。案外何事もなかったりね。お母さんと仲がよくて、亡《な》くなったことがすごくショックだったというのだけは聞いたけれど、とてもそれだけとは思えないくらい深い傷を感じる。」

「だったら、それで彼の中に大変なことがないといいね。」

「大変なことがあるとは感じるんだけれど、それでも今後生きていけないほどじゃないと願いたいの。だって、これまでだって生きてきたわけだし。そうっと生きていければ大丈夫かもしれないしね。」

自分の声に祈りがこもっていた。生きていてほしいな、と思うのだ。

いっしょにいるうちに知るようになった中島くんの苦しみを、いつでも私はどうすることもできなかった。夜中に「うわあ！」と叫びながら起きて震えている彼、人ごみで脂汗《あぶらあせ》を流している彼、特定の音楽を聴くと頭痛がしてしまう彼、お母さんが亡くなってからはかなり長い間、早くお母さんのところに行きたいとばかり考えていたという彼を知っている。断片的ではあるが、いっしょにいるとだんだん見えてくるものだ。

プラスがあればマイナスも必ずある。大きな光があればその反対の闇《やみ》も大きい。彼は伝説上の生き物のように、自分で自分の力をもてあましている感じがした。

さゆりが言った。

「私は仕事柄、いろんなかわいそうな子を見るんだけれど、生来の残酷性とか、脳の器質障害とか以外だったら、やはり両親の問題がいちばん多いね。幼いころに両親に何かがあると、とても小さい部分かもしれないけれど、何かが麻痺《まひ》したり破壊されたりしてしまって、そこから立てなおしていく人生というのもよく見るよ。やはり、きれいごとではない大変さがあるわ。こわれ方の形があまりにもまちまちで微妙だから、手のつけようがないというか。私はまだピアノの先生だからいいけれど、もしも幼稚園の先生とかだったら、親ともっとつきあわなくてはいけないから、とてもつとまらない感じがする。最近、ほんとうに変な形にこわれている家庭が多すぎるのよ。こわれている親もね。」

私はうなずいた。壁画の現場にいるだけでも、そのことはわかる。昔にはありえなかったような親や子が混じってきている。でも、どうも中島くんはそれにもあてはまらないような気がしていた。

「なんでもなかった人ではないことは確かだし、微妙でさえないのも確かなのよ。何か大ごとが彼の過去にはきっとあったのでしょう。でも、彼の場合は両親は離婚しているようだけれど、そんなにひどくもめた感じではないし、お母さんも愛情が強いということはわかっているけれど、特に何かあったようでもないし、親の問題では変な印象は受けないの。話を断片的に聞いているぶんにはね。なによりも本人が心底いい人だからね。……でも、くりかえしになるけれど、なにか壮絶なことがあったことだけはわかるよ。」

「壮絶って、たとえば？」

「たとえば、誘拐されたとか、親以外に性的虐待《ぎゃくたい》を受けたことがあるとか、そういうこと。」

それを聞いたとき、私の中でなにかがはっきりとした。

たまにこういうことがある。自分で言って、自分で納得したのだ。答えに近いものがそこにあったのがわかったのだ。きっと。でも、とりあえず会話を続けた。

「それに彼は、とても変わっていて、なんていうのかな、浮世離れしているというのかな。よく言うと超越的っていうのかな。なにごともなかったとしても、もともとそういう性質があるような感じもするし。とにかくあせらずに見てみる。お互いに時間がかかるタイプみたいなの。知り合うのも、話を聞くのも、なんでも。」

私は言った。しゃべりながらいつのまにか、中島くんのことをちゃんと考えている自分に気づく。知りたいような、知りたくないような気持ちだった。

だからこそ感じるのだ。もしかしたら私は、ほんとうに決心しはじめているのかもしれなかった。

好きなのかもしれない、いつのまにか、そうとうに好きになっているのかもしれない。生まれてはじめて、遊びじゃなく、ちゃんと女として男を好きになっているのかもしれない。

自分の慎重な様子がパパに対するママに似てきているから、わかるのだ。

好きなら好きなほど慎重になるのも、ママの特徴だった。

「お金は？　彼はちゃんとお金はあるの？」

「あるよ。博士課程が修了するまではお父さんが仕送りをしてくれると言っていたし、お母さんの遺したものもあるんじゃないかな。今は部屋が別にあるけど、夜はうちにいるからって食費とか光熱費とか入れてくれる。毎月、おそろしくきちんと計算して、きっちりとくれる。時間単位、一円単位で。」

「そこはきちっとしているのか。」

「そこを聞いてくるあたりがさゆりも大人だよね。」

「じゃあ、何も問題ないじゃない。そのまま一生いっしょに暮らせるね。変わってるけど、変わったあんたにぴったりだ。」

「うん、まあ、しばらくはこのまま進みたいと思っている。」

私は言った。もし進めたらね、と思いながらも。

「それより、さゆり、何か言いたいことがあって呼び出したんでしょう？」

「うん、壁画のことで、ＴＶに出したりしてごめんね。」

「ああ、なんでもないよ、あんなこと。」

「今、あんたすごく有名じゃん。ニュース番組で特集されたりしてさ。」

さゆりは言った。私は笑った。

「すごく有名ではないよ。」

「この町ではそのくらいで充分有名人なの。それで、あんたが壁画を描いて、それが話題になれば、建物が取り壊されないんじゃないか、と考えた人も、これまた数人いるの。」

「なるほど。」

「なんか巻き込むつもりはないのに、悪かったなって。」

「さゆりはどっちなの？」

「もちろん、壊されないでほしい。幼児教室は私の生きがいだから。何年も来ている生徒がたくさんいるの。でも頼んだのは、そのためじゃないよ。ただ、ちひろの絵がでっかく、私の仕事場に描かれているのを見たいだけ、それはほんとうだよ。ちひろを利用したかったんでもないし、なくなるとわかってるものを創《つく》らせようとしてるわけでもないのよ。」

　さゆりは言った。

　さゆりのことだから、本気で言っているのだろうと思った。

　さゆりが目をふせていたから、耳のまわりに生えている産毛《うぶげ》とか、太い眉毛《まゆげ》とか、そういうのをじっと見ていたらそれは本心だろうなと思えたのだ。きっといろいろな人にいろいろ頼まれているのだろうに、じっと秘めて私を守ってくれている。

「いや、絵のことだったら、いくらでも取材を受けるよ。それで、絵のこと以外は悪いけれどよくわからないから。」

　私は言った。

「うん、ありがとう、それで、万が一近い将来に建物が取り壊しになって、この壁なくなってしまうことになったら、ほんとうにごめん。私がいるうちはなるべく守るから。」

　さゆりは言った。

「いいよ、残したくて描いてるんじゃない。さゆりのせいじゃないし。」

私は言った。

「うん、いずれにしても、たくさん、写真を撮っておこうと思う。市の資料室にもちゃんと保存してもらおう。それは絶対にね。」

さゆりは言った。

全く残したくないかと言ったら嘘《うそ》になる。でも、永遠に残したいと言ったら、もっと嘘になる。私は、毎日何か感じるのが面白くて、それをただちょっと大きく絵としてメモしたいだけなのだ。そういう感じにすぎない。よくよく考えれば、ふまじめな感じだった。

まじめでまじめで子供たちに本気で接しすぎてよくハゲをつくっているさゆりに比べて、こんな気持ちで申し訳ない気がした。

私は正直言ってなんでもいいのだ。壁画が壊されようが評価されようが。そして幼児教室がなくなっても、そこに良き人々や賢い人々がいれば、必ずそれはまたどこかで芽を出すだろうと思う。

「これが絶対だ」と思うのがこわいのかもしれない。いつも水のように流れていたいし、それを眺めるように見続けたいのだ。

こんなふうに、親しい気持ちはあっても、私には心から溶けあえる友達というものがいない。いつでも、なにかしらがうまく届かない感じがした。

だから私にとっては、中島くんが生まれてはじめての友達……そういう感じがした。彼はえらく弱々しいけれど、何か確かなものを持っている。

それが私に私の姿を鏡のように見せる。そして間違ってないということを知る。安心する。

それから、これまで近くに住んでいないというだけで自立していたような気持ちになっていたけれど、どれだけ自分が母親を心の支えにしていたのか、今ひとりになってやっとわかった。

私はママに何も相談したりしなかったけれど、こういうふうにいろいろな変化があるときは電話をして、なんでもない話をしたり、実家に戻って顔を見たりした。それだけで私は私の軸……良くも悪くも自分の原点にたちもどったのだなあ、とママがいなくなって思う。原点っていうのは、生まれる前のところのことなのだろうか、それすらわからない。

幼い頃は、ママの顔をふりかえって、自分のいるところを確認したけれど、今は自分の姿は自分で確認するしかない。いくら中島くんを通してそれを確認できるとは言っても、もしも自分で目をそらしたら見えなくなってしまう。親の絶対とはわけが違っている。

死ぬときの様子をあまりにもじっくり見ていたので、私は今まだ、元気だったママの魂の輝きを思い出すことはできない。死ぬときの苦しそうな息だとか、病室の中に満ちている死にゆく人の匂《にお》いだとか、そういうものしか思い出せない。ママがひとりで苦しんでいて、今のところその世界では私は何の支えにもなっていない、という無力な感じをよみがえらせるだけだ。

そして、なにかの本で死ぬときにあまりにも引きとめるとその人が成仏《じょうぶつ》できないと読んだことが妙に頭に残っていて、がんばってあまり泣かずにママに対するお礼をくりかえしていた。そんな自分がばかだったということだけしか考えられない。もっとむちゃくちゃに泣けばよかった。パパみたいに、わあわあ泣いてお棺にすがって大騒ぎすればよかった。人目も周囲の思惑もみんなふっとばして、自分のままでいればよかった。

そうしたらきっとママも、中島くんに心からのめり込めない私の様子を心配して、夢に出てきたりはしなかっただろう。


「昔の友達に会いに行きたいんだけれど、ひとりで行くのがこわいからついて来てくれる？」

と中島くんに言われたのは、それから二週間ほどしてからのことだった。

私たちはそれからセックスはしていなかったが、毎日中島くんはうちに泊まっていた。そして「光熱費とか計算しなおすから」ときちんと言われていた。

私の壁画生活がはじまるのは来週からだったので、ちょうどひまだった。

ひまだったので、パパから送られてきた大量の輸入高級ハムを使ってさまざまな料理を作ったりしていた。パイナップルとハムのチャーハンだとか、ハムのステーキだとか、ハムの炊《た》き込みご飯だとか。

食べ物には全く無頓着《むとんちやく》でうるさくない中島くんでさえ、もう、ハムはよそうよ、とついに言い出すほどに工夫し続けていた。

あとは壁画の手伝いをしてくれる後輩の男の子といっしょにペンキを買いに行ったり、はけを取り揃《そろ》えたり、机に向かって下絵の下書きをしたり、いろいろ楽しい時期だった。

机に向かって描いていると、ミニチュアの図面を描いているような楽しさがある。それをそのまま転写したりしないから、あくまでイメージをつかむための落書きなのだけれど、小さく描くのにはそれはそれで独特の喜びがあるのだ。子供の頃にしたおままごとのような感じだ。部品も小さいし、人も小さい。でも頭の中ではみな現実の大きさに変換されている、そういう楽しさだ。

私が絵を描くのは低くて長い塀なので、流れるようににぎやかにおサルさんを描こうと思ったのだが、今ひとつあの場所にぴったりくるすばらしいことが思い浮かばない。発想の貧困さに自分でも驚き、いっそぶっつけで行こうかな、それとも子供たちにアンケートを取ろうか、などとほんの少しだがアイディアが行き詰まっていた。

素人《しろうと》さんと同じようなことだけ描くなら、市役所の人が描いた方が早い。どこか異様な、プライベートな発想が入っていなくてはいけない。それはなにかな、私はこれまでおサルさんとどんな思い出を持っているだろう、だいたい最後にちゃんと猿を見たのはいつ頃だろうか、動物園に取材に行かなくてはいけないかな？　そんなふうだったので、気分転換に出かけるのはちょうどよかった。

「いいよ、ピクニックでも行く？」

と私は雑誌を見ながら言った。

でもふっと顔を上げて中島くんの顔色を見たら、そんな甘い気持ちはふっとんでしまった。ただごとではない顔色だったのである。

そのときふたりがなにをしていたかというと、全く進歩なく、朝起きて一個しかない卵でオムレツ（もちろんハムが入っている）を作ってわけあい、私はとんでもない姿勢で足にペディキュアを塗っていて、中島くんは彼のパワーブックに向かってひたすらにレポートを書いていた。中島くんがひと息ついたからお茶でもいれようかと思った瞬間に、彼がそのことを言い出したのだった。

彼はさゆりの言うとおり私とさゆりが通っていたレベルの低い芸術大学ではなくて、となり町にある、ものすごく勉強ができる人にしか入れない学校に入っていた。

もちろん私は聞いた。

「どうやったら、そんなに勉強することができるの？　小さい頃から勉強が好きだったの？」

中島くんは、はじめじっと考えていた。そして言った。

「ある日、突然なにかを取り戻すように勉強したくなったんだ。」

「それは……お母さんが亡くなってから？」

私は言った。

「そう。うちのおふくろとおやじは、僕がいないあいだにいろいろもめはじめて、ある時期からは別居して、最終的には離婚しているんだ。それで、ちょっとだけちひろさんと似た境遇で、生活費とか学費とかは今でも僕がもらっていて、今もたまに会ったりとかするんだけれど、まあ、それは置いておいて、おふくろが死んだとき僕はもう高校生になっていたので、おやじと暮らすのはやめて……だって、おやじは離婚以来ずっと実家のある群馬県に住んでいるんだよ。急に引っ越す気にもなれなかったしね。おやじはとっくに再婚して子供もいるしね。それで、一人暮らしをすることにしたけれど、必死でバイトしなくちゃいけないほどお金がなくもなかったし、僕は贅沢《ぜいたく》には無縁なので、急に、ぽっかりとひまになったんだ。それで、よく考えたんだよ。あまり世間に接しないで、最小限にとどめて、自分のことをできて、できれば少しくらいは人の役にたつかもしれないことをして、一生を送りたいって。それでいろいろ調べて、遺伝子のことを研究していこうと思ったんだ。」

「なんで、そこでそんなむつかしいことを志すのかわからないけれど、もちろん誰か、身近にそういう人がいたんだよね？」

私は言った。彼はまたも歯切れ悪く、言った。

「うん、親と別れている期間にいたところで、唯一《ゆいいっ》親しくできた大人がそういうことを学ぶ学部の出身で、いろいろ話を聞いているうちに、そういう勉強ってもしかして面白いのかもしれないという感じがしていたんだ。

それでおふくろが死んだあと、一人だし、悲しいし、ひまだし、猛然と勉強に打ち込んだんだよ。もちろん合格することだけに焦点をあてて、人づきあいも面倒だから塾とかに行かず、独学で。」

その方法を、彼は、長々と、細々と説明してくれた。

私は「親と別れている期間にいたところ、ってなんだ？」と思ったが、黙って説明を聞いていた。

彼は、完璧《かんぺき》に体と頭を切り離して集中するということができるようになったそうだ。それは彼にとってはむつかしくなかったが、現実世界の中でそれをやるのはとても危険だということがわかった、と中島くんは言った。

その中島くんの話は、本人は淡々としているぶん壮絶だった。

全く勉強してない状態から、目標としていた大学に合格するまでに彼の体重は二十キロ減っていたそうだ。そしてものが全く食べられなくなり、道で倒れて病院に行き、点滴をして生き延びたと言っていた。

「医者になりたいのにそんなことでいいの？」

と聞いたら、すごく笑われた。今、彼は医学部の医学研究科、つまり大学院にいるのだが、そこはお医者さんになる勉強をするところではなく、研究者になるための学科なのだそうだ。

勉強はとにかくもう止まらなくなり、体と頭を分離してみたらますます成績が上がり、それでもう夢中になってしまって、体を捨てそうになったのだ、と中島くんは言った。

「それで、体っていうのは、頭が命令を出してから少し遅れて反応するということをひしひしと学んだんだ。」

中島くんは言った。

「遅れるってどういうふうに？」

「はじめに暗示をかけるときはわりと簡単で、体の機能は最低限にとどめてそのエネルギーを頭に回すように設定したんだ。それがうまくいったので、僕は自信過剰になってしまったみたいなんだ。でも、なんて説明したらいいのかな、やっているうちに加速のようなものがついてしまって、それを取りやめて栄養を取り入れたり、手足をちゃんと動かしたりするようにという命令を本気で出しても、ちょうどメリーゴーラウンドが止まるときみたいに、動きながらだんだんゆっくりと止まることしかできなくなっていたんだ。そのことを計算に入れなかったから、ぎりぎりまで体を無視していて、ちょっと遅かったっていうわけ。それで、死にかけてしまった。」

「ねえ、できるっていうのはわかるけれど、そんなことはもうやめなよ。体にすごい負担がかかるよ。あとが大変じゃない？」

私は言った。

「うん、だからもうああいうふうには勉強してない。今はこなしているだけ。」

と中島くんは笑った。

すごいなあ、こなしているだけで大学院に行って、放っておいても論文を書いたり下調べをしたり、関連書籍を読んだりしていられるなんて、本当に勉強が得意な人なんだ、と私はただ感心した。

「がむしゃらに勉強してきて、はっと気づいたんだ。このままいくと博士課程を修了できることは確実だし、論文を書き続ければ、確実に博士号も取れると思う。そうしたら日本で就職活動をして、どこか条件の合う研究所に就職もできるだろうとは思う。でも、日本にずっといて今のまま進んでも先がいいふうに見えないから、ちょっと考えてる。外に出てみたいような気がしてきたんだ。昔は生きていくのに必死で、考えたこともなかったんだけれど。」

中島くんは淡々と言った。

「そのことは私にはわからないけれど、そんなことができたんだったら、きっと中島くんにはなんでもできるよ。なんでもね。しようと思ったことはね。」

私は言った。

外に出る、というのは国外に出る、ということで、それはつまり二人の別れを意味するのかな？　と思った。

なんだ、中島くんにとって、私の家は日本脱出までの仮の宿なのか……。

でも、それはまだ今、話し合うことではないような気がした。

そしてそんなにも友達に会いたいと言いながらも、相反して中島くんの表情があまりにも暗かったので、私はたずねた。

「その友達に、どうしても今、会わなくてはいけないと思うの？」

中島くんは言った。

「そうではなくて、もしかして、今なら、会えるのかもしれない、と思うんだ。」

「それって、私がいれば、っていうことなの？」

私は言った。

「そうなんだ……根っから明るい君がいれば。」

中島くんは言った。

私は答えた。

「でもね、私もそう明るいってわけじゃないよ。たぶん。」

かっときたのではない、ほんとうに、申し訳なく思ったのだ。

もしかしたら、彼と過ごしている割り切りのいい、さっぱりとした私、母譲りの明るい見かけの私のある側面だけを中島くんは大きく拡大してみているのかもしれない。それだったら、後で暗く重い面が出てきたとき、大きく裏切られたと感じるのは中島くんだろう。

「わかってる、だから、どういうふうに表そうとしてもうまく言えないけれど、ちょうどいいんだ。いやな言い方だけれど、理想の分量なんだ。」

なんとなく彼の言いたいことはわかってきた。

中島くんのことだから、体を酷使して勉強したときのことも、私の性質の中の感情の配分に関しても、きっともっと別の言い方なら、正確に表現できるのだろう。

でも、私に合わせてレベルを落としているので、あいまいな表現になるのだろう。

でも、今何かをしゃべることが、中島くんにとっていいことのような気がしたので、あえて聞き続けようと思い、わざわざ首をちょっとかしげてみた。

「だって、ちひろさんは、愛をいちばん大切にしてるだろう？　でも、それでも他人をコントロールしようとはしないじゃないか。」

中島くんは言った。

「それほどでもないと思うけれど。」

私は答えた。

「でも、亡《な》くなったお母さんのことを大切に思っているだろう？　もちろん心にわだかまったものは、どんな家庭にもあると思うけれど、ごく普通に、愛情と憎しみは半々くらいだろう？　どちらを大きく見積もっても。」

「そうだね、それはそうだね。」

「お父さんのことも、憎んでないだろう？」

「うん、憎んでない。むしろ愛《いと》おしく思っていると思う。設定が欠けていたぶん、普通の家族よりも愛情を示しやすい環境だったような気がするの。枠がないぶん、それぞれが努力したんでしょうね。」

「そう、その、あたりまえに家族があると『思っていない』ところが、とても安心できるところなんだ。その人たちをその人たちとして見ているし、僕のこともああなってほしい、こうなってほしいというのがなく、普通に見ているでしょう？」

中島くんは冷静に言った。

「そこが、好きなところ。僕は暴力にとても、病的なくらいに敏感だから、すぐわかってしまうんだ。そしてたいていの人は常に、そういうつもりがなくても、他者に対して小さな暴力をふるっている。ちひろさんはそれがとても少ない人なんだ。」

「中島くんはどうなの？」

私は言った。

「僕は今になってはじめて正直に言うと、僕のことだけを思いつめていたおふくろが死ぬまでずっと重かったよ。あまりにも僕だけになってしまって、おやじもあきれて逃げ出すくらいで。」

中島くんは言った。

「重くて、でも、いろいろあって離れている期間が長かったのでおふくろのことはいつでも恋しく思っていて、それでも、いざいっしょに暮らしてみると、生身のおふくろの愛情にはずっと圧倒されて……たとえば僕がちょっと出かけても、いつ帰ってくるのかを聞かないと気が済まなくて、少しでも遅くなると泣きながら待っているようなね、そういう人だったから。

しかも普通に暮らしていた時間がそんなに長くない状態で死んでしまったので、ますます自分の中で混乱したままなんだ。理想的な側面と、女の執念のようなものの圧力が、どちらも母の像として刻み込まれている。

でも、その理想的な側面っていうのが、ほんとうにうちのめされるくらい、自分がちっぽけに思えるくらいに偉大で、僕は、母親がいなかったら今こうしてここにはいないと思う。その感謝の気持ちは、きっとおふくろが生きていても、一生かかっても表せなかったと思うんだ。

僕たちにはひどい時期もあったんだ。まるで恋人同士の男女みたいに、ふたりでどうしようもない迷宮に入り込んでしまった時期もあった。その頃は、ふたりとも通院していて、あまりにもまいってしまったので、僕たちは医者のすすめで、一時的に、親戚《しんせき》の持っている小さい家に住んでいたんだ。なんにもない、田舎のボロ屋で、静かにしばらく暮らしたんだよ。夏は涼しかったけれど、冬は信じられないくらい寒くて、いつもこごえていたけれど、景色がきれいで、みずうみがいつも見えていて、淋《さび》しいような、きれいなような場所だった。

今、そこにはさっきから話題に出ている僕の友達が住んでいてね、行きたくてそこに行こうとしているんだけれど、そこのことを考えると、いつでも、こうやって冷や汗が出てくる。この数年、何回も行こうと思ったけれど、その度に自分の中でなんだかんだと言い訳をして、行くのをやめてしまうんだ。どっちが自分に冷や汗をかかせているのか、それがどうしてもわからないんだ。おふくろとの思い出なのか、友達との記憶なのか。」

「つらいことを思い出すなら、行かなくてもいいんじゃないの？」

私は言った。

「自然に行きたくなって、行ける日に行けばいいのではないかしら？」

すると、中島くんは悲しそうな顔になった。

「でも、そうすると友達に会えない。いつまでたっても会えないんだ。」

「最後に会ったのはいつ頃なの？」

私はたずねた。

「まだおふくろが生きてるときにいっしょに行ったのが最後だから……十年くらい前かな。もっとかもしれない。電話は、たまにかけてみるんだけれど。」

中島くんは言った。

「会いたいの？」

「会いたい、この世でいちばん会いたい。彼らに、会いたくてしかたがない。いつだって。最近、ちひろさんといるようになってから、ますますたまらなく会いたくなって、もう止められないくらいなんだ。」

中島くんは言った。

「彼らっていうことは、複数の人たちなのね？」

私は言った。

「うん、そこに住んでいるのは、二人とも古い友達で、兄と妹なんだ。」

中島くんは言った。

中島くんがどこへ私を連れて行こうとしているのか全然わからなかったけれど、私は中島くんをとても信頼していた。肌レベルでの信頼だった。毎日顔を合わせていると、その人の中にちらりとでも矛盾したところがあったらわかるものだ。中島くんはでこぼこではあったけれど、私から見ていつでも誠実に見えた。

「いいよ、行こう。遠いの？」

「電車を乗り継いで三時間くらいかな。」

「お金いっぱいかかる？」

「つきあわせるから、お金は僕が出すよ。」

「いいよ、私も楽しむから。」

「交通費とか、全部僕が出すから。」

「今はけっこう余裕があるから、いいよ。仕事も入ったし。」

私は笑った。

「どうしてどこだかわからないところへつきあいで行くなんてことができるの？」

中島くんが驚いたような顔で言った。

「僕だったら、とてもできないよ。」

「だって、そこは中島くんにとって、つらいけどすごく行きたいところなんでしょう？」

私は言った。

「いっしょに行って、当然だよ。私しかいっしょに行ける人がいないのなら。だって、今、中島くんは毎日私の家にいるんだから。毎日会っていて、しかも会いたくて会っているんだから。」

ほんとうに恋していたら、きっとこんなことは言えない。じらしてみたり、逆にうまく言えなかったりするだろう。そこには好意だけがあった。さらに言えば、理由はまだよくわからなかったが、彼を傷つけることは普通の人を傷つけるよりもずっとおそろしかった。そのことを考えただけで、ぞっとして胸に重い石がつまったようになる。

「ありがとう。」

小さい声で中島くんは言った。

翌日、私たちは電車に乗って北へ向かった。

小さな駅で降りて、まだ少し冷えていて顔の表面だけが冷たくなるような感じの気候の中を、てくてくと歩いて行った。

寒々しい光がたまに雲の隙間《すきま》から射《さ》してきた。

たくさんの木々がやっと芽吹きはじめていた。つぼみは硬くふくらんできていて、どんなにくすんだ色の枝にもぽつんぽつんとその官能的なふくらみが息づいていた。空気がきれいで、体の中がすっとするのがわかった。田舎町の駅前のにぎわいはすぐに終わり、なんということのないひなびた街角をただふたりで歩いて行った。遠くの山にまだ雪が残っている。白いまだらと茶色の木々で、乾いた色合いが青い空の下になだらかに続いていた。

そして、私たちはそんなに大きくないみずうみに、たどり着いた。

平日だったので、誰も人がいない。みずうみは静かで、音まで吸い込まれていきそうだった。表面はまるで鏡のようで、風が吹くと小さなさざなみがわたっていく。鳥の声だけが高く低く響き渡っていた。

「あの、神社のとなりあたりに。」

中島くんが指差した。

「その、古い友達が住んでいるんだ。」

みずうみの対岸に小さな赤い鳥居が見えた。

見上げると中島くんはだらだら汗をかいていて、それなのに顔が真っ白だった。

「中島くん、大丈夫？」

私は彼の手を取った。

「大丈夫、この段階が、いちばんつらいところ。でも、実際に会ってしまえば、きっと大丈夫。」

中島くんの手はこわいくらいに冷たかった。

いったいこの体と心は、どれだけのことを受け止めてきたのだろう？　と私は思った。

かわいそうにという言葉が自然に浮かんでくる。そうとしか言えない。同情には意味がないとわかっていても、私はかわいそうでならなかった。小さな中島くんが、親と離れたところで暮らしながらもなんとか自分を作っていった、そのことが気の毒でならなかった。

彼の中でなにか大変な葛藤《かっとう》が起こっていることだけは、私にもわかった。私にとってはさわやかな春先の湖畔の風景、気分のよい散歩なのに、彼にとってはそれが見えず、地獄の中にいるように苦しく、一歩一歩の歩みが鎖を引きずっているようなのだ。

「ねえ、中島くん、ちょっと止まって。」

私は言った。

「……うん。」

中島くんは上の空で、あぶら汗をかきながら立ち止まった。

「ちょっとかがんで。」

私は言った。中島くんは少しでも今の時間を早く終えたかったみたいなので、迷惑そうで面倒くさそうだった。今にも私を突き飛ばして、走っていきそうだった。私にはそれがよくわかった。拒否の感じがひしひしと伝わってきたのだ。でも彼は、私のためにいやいやかがんでくれた。

人がいやなことを相手のためにがまんしてくれるのは、恋愛の初期だけだ。やがてお互いのいやなことがわかってきて、自然にそれをしなくなる。だから、今はこれをしていいときなんだ、私は自分にそう言い聞かせた。

まあ、それは理屈に過ぎず、結局私はいつでも体を動かして考えていくタイプの人間なのだろう。

私は、いっしょにかがんで、中島くんをぎゅっと抱きしめた。黙って、すごく長い間。中島くんの呼吸の音が私の首のところでずっと響いていた。中島くんの髪の毛はほこりっぽい匂《にお》いがした。空はどこまでも遠く、どうして人の心だけは自由じゃないんだろう、と思わさせられるのに充分な美しさだった。みずうみをわたる風は冷たく、甘い春の気配がちょっとだけ混じっていた。

中島くんの呼吸と汗が落ち着くまで、私はずっとそうしていた。

そこにはせっぱつまったものは確かにあったが、色っぽさはまるでなかった。そんな余裕はなかった。私が抱きしめているのに、なぜか崖《がけ》っぷちでふたりでしがみつきあっているような感じがした。

「遅かれ早かれ、彼はきっと消えていってしまうだろう」

私はそのとき、確信した。向こう側に引っぱられて楽になりたいという彼の心の重みは、どんな愛情でもこの世がどんなに美しくても、もう支えきれないほどであることを私は体で感じたのだ。魂の深いところで。

「でも、この思い出は消えないだろう」

私は思った。それさえもなかったら、彼はなんのために生まれてきたのだろう。

涙がにじんだ。

「ありがとう、もう大丈夫。」

ほんとうは全然大丈夫ではないのに、彼はかすれた声でそう言った。

そして私の手をきゅっと握って、冷たくふりほどいた。

しばらく歩いていたら、なんだか目の前が少し暗くなってきた。さっき、中島くんを本気で抱きしめていたから、必死になりすぎて貧血になったかな？と思った。少し息が苦しくて、なんだか彼のつらさが移ってきたみたいな感じがした。

「ごめん、なんだかいつでも彼らに会いに行くのが、うまくできなくて、どうしてもいろいろ考えてしまって。」

中島くんは私の様子を見て言った。

「あたりまえだよ。」

私は言った。

「中島くんは『うまくできない』っていう言葉をよく言うけれど、そんなこと言わないで。そんなこと私は聞きたくない。聞くだけで、なんだか耳がちくちくするの。」

「うん、口癖なんだ。うまくできないと死ぬような環境にいたから。」

「そうなの……。」

これから会う人たちがその秘密を握っているのだろう、と思った。そして、その人たちのことを話すときに、彼は私に何か過去のことを話してくれるかもしれない。そういう期待があった。やはり知りたい。好きだと知りたくなるのだ。うまくできないことさえも知りたくなる。

みずうみがぼんやりとかすんでいるのは、霧のせいだった。いつのまにか薄い霧が視界を覆《おお》っていた。薄い霧の向こうのみずうみはレースのカーテン越しのように淡くミルクみたいににごって見えた。

私たちは歩き続けた。小道が霧にうっすらと消えて、先が見えないところをふたりでこつこつと歩いた。昔からこうしてここを歩いているようだ、と私は思った。小さい明かりも全《すべ》てにじんで丸く輪になって光っていた。

「あ、見えてきた。」

と中島くんは言った。

赤い鳥居の向こうに細い石段があり、その上には小さい神社があるようだった。きっと石段の上からは、みずうみが見えるだろう。そしてその鳥居のところの脇《わき》道の奥をよく見ると、家が見えた。そう、霧の中にかすむようにこつぜんと現れたその家は「ほんとうに電気きてるの？」と思うような、木造で、ぼろぼろの家だった。玄関のところの階段も、穴があいているのをてきとうについで板が打ちつけてあった。窓も割れているところにビニールが張ってあった。中は薄暗く見えた。

それでも、よく見ると、その板のつぎ方とかビニールの張り方は、ていねいで簡素で、実際的だった。古びてはいても不潔な感じとか荒れた感じは一切なく、私の心には「清貧」という言葉が浮かんできた。

中の人はきちんと暮らしているんだな、というふうな気配が植木鉢だとかひっそりと置かれているこれまた古い、かごなんか穴が開いているような自転車のスポークがぴかぴかだということなどから、伝わってきたのだ。

「こんにちは！」

中島くんは大きな声で言った。

ほんとうに人がいるのかなあ？　と思っていたくらい、みずうみと同じくらい静かなその家の中から、しばらくしたらふらっと人が出てきた。

その人は、大人なのに、そう、きっと三十五歳くらいなのに、すごく小さくて子供みたいな大きさだった。なんとなく顔も縮んでいてブルドッグのような感じに見えた。それでもその目はきらきらしていて全体のたたずまいが高貴な感じだった。

「うわあ、ノブくんだ。ほんとうに?」

その人は言った。毛玉だらけのセーターを着て、よれよれのチノパンをはいて、でもやはり、家と同じように清潔なたたずまいだった。長い髪の毛は後ろできちんとゆわいてあり、ずんぐりとした体でも背筋はすっと伸びていた。私はその人にとてもいい印象を持った。

「ミノくん、久しぶり。」

この人に会うのがこわくて震えていたことなんておくびにも出さずに、中島くんは笑った。

男らしいというかややこしいというか、あまりの変化に私は驚いた。

このぶんでは、私に関しても出さないでいることがもしかしてたくさんあるのではないかと思ったのだ。そのぶん道のりは遠いな、と私は感じた。

「やっと会いに来てくれたんだね。……お母さんのこと、お悔やみ申し上げます。」

と彼は言った。そして、

「でも、それからもずいぶん時間がたってしまったね。」

と言って、ちょっと笑った。きらりと輝きのある、かわいい笑顔だった。

「来ると決心するのにも時間がかかってね。すごく会いたかったんだけれど、いろいろ落ち着かなくて。ここにはおふくろの思い出も多いし、気が重くて……」

中島くんは天井のあたりを見て目を細めた。そして私を振り返った。

「でも、引率がついてるから大丈夫。やっと来ることができたよ。」

「はじめまして。お名前は？」

ミノくんという人が私を見て言った。

「僕のガールフレンドの、ちひろさんです。ちひろさん、こちらはミノくんです。」

中島くんが言った。私はこんにちは、と笑顔で言いながらも、謎《なぞ》で頭がいっぱいでくらくらしていた。

彼らの親しさには特別なものがあった。まるでいっしょに戦場にいた人たちみたいに、特になにも言わなくていい笑顔を交し合っている。

空を渡っていく風がきれいだった。

きっとあの高く美しい場所に鳥みたいに自由でいたら、いろいろ気にならないだろう。でも私には、やはり中島くんが少しだけ重かった。自分の世界には自分しかいなかった私にとって、中島くんがこれ以上私を頼りにすることは、ほんの少しだけれど、いやだった。簡単に言うと、

「逃げ出したいな、この責任から。この普通じゃない人たちの雰囲気の重さから」

と思っていたのだった。

ミノくんはにこにこしてそんな私を見つめた。まるで天使に見られているみたいな充実感があった。私は心をごまかす気持ちさえなくなった。私の汚いところなんてみんななくなってしまいそうな透明な瞳《ひとみ》だった。

「チイは？　元気なの？」

中島くんは言った。

「中にいるよ。どうぞあがって。狭くて汚いけれど。」

ミノくんは言った。

私と中島くんは、うなずきあって、その家の中に入った。

家の中は、まるで映画に出てくるヨーロッパの田舎の家みたいに質素で清潔だっ

た。

一階には台所と風呂場《ふろば》とトイレしかないようで、その台所に私たちは通されて、まるで学校の机みたいな真四角のテーブルに、いろいろな形のいすが並んでいて、その寄せ集めのいすから座りやすいのを選んで、私たちはそっと座った。

「この家に、おふくろといたんだよ。」

中島くんは言った。

「キャンプみたいに、昔のフランス映画みたいに、なんにもないのに毎日あるものをかき集めて、静かに暮らしたんだ。みずうみばかり見て。」

「そうなの。」

私は言った。

「そのときはつらいことだと思ったこともあるけど、今思うとすごく楽しい思い出。」

さっきからはしゃぎ気味の中島くんは明るい調子で言った。

「ここは狭いから、毎日散歩したんだ。みずうみのほとりを、だらだらと歩いたり。たまにはボートに乗ったりもしたよ。だんだんおふくろが元気になっていって、その様子が嬉《うれ》しかった。春になったら、一日一日、元気を取り戻していったんだ。これから先があるという顔つきになったとき、人はほんとうにきれいなものだね。木々や山々が緑になっていくのと同じ勢いで、おふくろが元に戻っていった。あの嬉しい気持ち、そういうことを、すごくよく覚えてるんだ。」

中島くんは涙をにじませて、そう言った。

家の中は静かで、窓からは春先のぼんやりしたみずうみしか見えなかった。

私には、ぞっとするほど淋《さび》しい景色に見えた。

でも、中島くんの思い出の中のここは、どんなに淋しくても色とりどりなのだろうと思った。

ミノくんはお湯をゆっくりと沸かし、ていねいに紅茶をいれた。

ひとくち飲んだら、口のなかにふわりと香りが広がった。その紅茶は、これまで私が飲んだ紅茶の中で、いちばんおいしかった。

それを私が無邪気に言うと、ミノくんは少し照れて、

「この辺の湧《わ》き水は紅茶に適しているんです。」

と言った。

「毎日紅茶のために、水を汲《く》みに行くんです。」

水がおいしいだけ？　いや、そうじゃないんだろうな、と私は思った。この限定された世界の中で、みずうみを眺めておいしい紅茶を飲むこと、それが、彼の豊かさの全てなんだわ。

それってなんて大きなことなんだろう。誰にもじゃまされず、おかされることのない世界を、彼はそういうふうに確実に創《つく》っているんだ、と私は思った。

ミノくんの気高い様子は、私の心に変なふうに残っていたおばさんみたいな同情心の最後のひとかけらを消すのに充分だった。

おいしい紅茶は、人を変えるくらいの説得力があるのだ。

中島くんとミノくんはひとしきりいろいろな噂話《うわさ》をして、まるで小学生の男の子がふたりいるみたいにはしゃいでいた。私はそれをぼんやりと聞きながら、みずうみを見ていた。波がたって、ふっと冷たそうになってはまた鏡に戻る、きれいな布のようになめらかな水辺を、ガラス越しに眺めていた。

「ほんとうはチイに聞きたいことがあったんだけれど、寝てるようならいいや。」

中島くんは言った。

「チイはどうせいつだって寝てるじゃないか、会って行きなよ。」

ミノくんが答え、そして彼は私をじっと見て、こう言った。

「チイっていうのは、うちの妹なんだけれど、もうずっと寝たきりなんです。といっても病気なわけじゃなくて、肝臓と腎臓《じんぞう》が弱くて、だるくてあまり動けないんですね。だから、ほんとうにただ寝ているんです。トイレに行くにももう筋肉がないからそろりそろりと壁伝いだし、ごはんは一日一食おかゆと日本酒を飲むくらいで、ほとんど食べない。めったに起きあがらないんです。まあ、それも広い意味では病気と言えなくはないんだけれど。病院には行っていないし、いくらでも時間をかけていいと思っているから、このままで暮らしているんです。手足を動かしたり、家の中を歩かせたりはしているんだけれど、なるべくゆっくりととらえようとしています。」

「そうなんですか。」

私はなんと言っていいかわからず、そう答えた。

「で、チイがしゃべりたいときは、僕の目を見て、心の中に話しかけてくるんです。それが特別な情報であるときもあるので、聞きに来る人とかがいてね、それで、僕たちは細々と食べていっているんです。でも、情報がないときもあるので、誰でも来ればなにかしてあげられるわけでもないので、基本的にはそのことは内緒なのです。できれば、口外しないでください。」

彼は言った。

「それって……つまり、広い意味での占いみたいなものですか？」

私はたずねた。

「そうとってもらってもかまいません、でも、単に会話を楽しむだけということが多いです。彼女と会話すると、人はどうしてか、なにかがはっきりするみたいなのです。いつでも寝ている彼女は、夢の中の世界で自由にあちこちを行き来しているのです。」

彼は言った。

「それで、起きている人よりもずっといろいろな情報にアクセスできるみたいです。」

「そういうことがあるっていうの、わかる気がします。」

私は答えた。

「でも、人に言ったりしません。」

「あなたは、縁があってここに来た人だから。」

ミノくんは言った。にこっとしたら、目のきらきらが星みたいにますます濃く輝いた。

「いつでも、これからいつでも、来てもらってかまいませんから。それに、ここに来るべきでなかったら、あなたは絶対にここを思い出さない。」

まるで謎かけのような言葉だった。

「はい、わかりました。」

私は答えた。笑顔で。

こんなすてきな人には、笑顔しか、あげられるものがないのだ。

「妹に会いますか？　ノブくんといっしょに。」

ミノくんは言った。

「ううん、中島くんには中島くんのプライバシーがあるし、私だったら初対面の人に寝てるときに会うの恥ずかしいから、もし今度来ることがあったら、そのときにあらためてお会いします。」

私は言った。

中島くんにとって、この人たちと会うのがどれほど大切かわかっていたので、じゃましないようにしようと思った。私の仕事はきっと、ここまで彼をだましだまし連れてくることだけだったからだ。それは果たした、と思い、私は引き気味でいたかった。

「来てくれてもいいのに。だって、いつも寝ているんだよ。」

中島くんは言った。

「つもる話もあると思うし、私はいいよ。」

私は言った。

「でもちひろさんのことをチイにも紹介したいんだ。」

中島くんは言った。

「なにかあなたに関して情報があるかもしれないですよ？」

ミノくんがいたずらっぽく言った。私のスケベ心がむくっと動いたけれど、彼らの過去を思うとどうしても厳粛な気持ちになってしまい、それがすぐにおさまるのもわかった。

「じゃあ、ごあいさつだけして、下に降ります。で、下で待っています。」

私は言った。

「じゃあ、行きましょう。」

ミノくんは言った。

ぎいぎいと音がする急な階段を登って行くと、上の階は廊下の小窓から光が入っていて明るかった。部屋がふたつあって、両方ドアが閉まっていた。

ミノくんは黙って、ひとつの部屋のドアを開けた。私はちょっと緊張して体がかたくなった。中からは薔薇《ばら》みたいないい香りがふわっとこちらに漂ってきた。薔薇そのものではなく、甘い気配のようなものだった。

「うわあ、変わらないね、チイ。」

中島くんが涙声で言った。

どうぞ、とミノくんがうながしたので私も中に入った。

木でできた安っぽいベッドには、安っぽいピンクのフリースの毛布がかかっていて、その中に細く小さくまるですっぽりと埋まっているみたいに丸まった女性が寝ていた。

まるで小さい女の子のようだったが、ミノくんと同じで、よく見ると大人だった。体は小さく、あごも腕も枯れ枝のように細く、まつげだけが健やかに長かった。

「ほんとうに寝てるように見えるけれど。」

中島くんは言った。

「いや、完璧《かんぺき》に起きているんだ、これは。」

ミノくんは言った。

「じゃあ、通じるんだね。チイ、ほんとうに久しぶり、ノブだよ。長い間たずねてこなくて、ごめんなさい。今日は僕のガールフレンドのちひろさんを連れてきたよ。紹介したくて。僕はちゃんとやっているよ。大学も入ったし、今は大学院に通っているんだ。勉強ばっかりしているんだよ。」

中島くんは言った。

ミノくんがちょっと頭を押さえるようにして、間があり、そして、言った。

「まあ、ずいぶんとがんばったのね。」

完全に違う声だった。そうか、これが妹の心の声っていうことか、と私は思った。

もし、これが全部ミノくんの思い込みで、妹は単なる心の病気で衰弱で死にかけていて、ミノくんがそれを認めたくなくて妹の心の声を勝手に作っているとしたら？？？

という常識的な考えも、この部屋全体に漂う独特な、そして高貴な雰囲気の前にはたちうちできず、すっかり消えた。

「それに、ずいぶんと複雑な女友達をお連れね。」

ミノくんが言った。

「思ってることの半分も表に出さないなんて……苦しくない？　あなたは親に対する憎しみを生来ののんびりとした愛情で中和したのね。あなたはそのことでいろいろ考えたからそういうふうに静かになっているけれど、ほんとうはすごく大胆で、自由で、甘えん坊で、セックスも底なしじゃない？　でも、あなたはほんとうに人を尊重できる人なのね。あなたは近いうちにひとりでここにまた来ることになるわ。そのときまた話しましょう。」

私はそれが自分の話だと気づいてぎょっとした。

当たっているとも言えなくもないが、決定的な情報とも思えなかった。

ミノくんが我に返って言った。

「ごめん、妹はちょっと辛らつすぎて、心を隠すことを習ってなくて、どこへ行ってもトラブルばかりだったんですよ。誰になにを言っても文句言われるから、そのせいで寝てるんじゃないかと思うくらい。なので、気にしないでください。」

「うん、かなり率直な妹さんですよねえ。」

私は言った。

「でも、基本的に、いやな率直さではなくて、どちらかというと好きな感じですよ、私は。」

初対面の人に言われることとしてはとんでもなかったけれど、的はずれな悪意があるようには思えなかったのだ。

「そう言ってくれてありがとう。それに、ああいうことを、実は僕が思って言ってるとは絶対に思わないでくださいね。」

ミノくんは笑った。

私は頭を下げて、階段を降りて行った。でも、またここに来てあれ以上はっきりとした自分についての描写を聞くのなんて、まっぴらごめんだな、と思ってはいた。

でも気を悪くしていることはなかった。なんだかわからないけれど、私はこの家の人たちの不思議な高貴さに感動していたのだった。

そのとき、中島くんがチイさんになにを聞いたのか、私にはわからない。ただ、私と中島くんのことでもなく、彼の寿命のことでもない、もっと明るい感じのことだというのが、階段を降りて来た彼の顔を見たらすぐにわかった。

彼は言った。

「僕、このあいだも少し言ったけれど、博士課程を修了できたら、いつかパリにある有名な研究所に就職したいんだ。それが可能なのかを聞いただけ。」

というることだった。パリか、そこなのか。彼なら、絶対に猛勉強して論文を書きまくり、投稿しまくり、すぐに資格を得るだろう。そうしたら私たちのこのあぶなっかしい暮らしもおしまいなのかなあ。私はそうなることが思いのほか悲しいので驚いた。そんなことはありえないと心がきしむようだったのだ。

いや、はじまったばかりだからだと、しばられたくない私は思おうとした。

「可能に決まってるじゃない、なんでそんなことが疑問なの？」

私は言った。

「私にだって答えられちゃうわよ。絶対に行けるって。」

「自分が自分をどうにかして行かせまいと、じゃまするような気がして。」

中島くんは言った。

「でも、チイは、来年の今頃は僕はもうパリにいるかもしれないって言っていたけれど。」

そう、言ったときの中島くんはとても嬉《うれ》しそうだった。それだけでも来てよかった、と私は思った。

もう一杯だけおいしい紅茶を飲んで、少し話して、私と中島くんはそのかわいい家を後にした。

ミノくんは玄関のライトの下で、いつまでも手を振ってくれた。そのシルエットはきれいな影絵のようで、ライトは暗がりの中に宝石みたいににじんで輝いて見えた。

みずうみは深い穴みたいに闇《やみ》に沈み、木立とのコントラストでかろうじてそこに闇以外のものがあるとわかるくらいにすうっと黒かった。

「中島くん、あせっているの？　早くパリに行きたくて。」

私は言った。

「あせってないけれど、なんだか実現できる気がしなくて。うまく言えないけれど、僕の中にある罪悪感みたいなものが、自分で自分をだめにしようとすることがあるんだ。でも、実現できる気が一回でもすれば、それに向かえるから平気。いつでもいいんだから。」

中島くんは答えた。

「そう、それならよかった、今すぐじゃないんだね。」

私は言った。

「私、今はこうして暮らしていたいから、よかったわ。」

中島くんはなんの返事もしなかった。嬉しいのか、うっとうしいのか、はかりしれない彼の心だった。

そして、もしかしたらもうすぐ猛勉強に入るから、また自分の部屋に戻るつもりなのかな？　と思った。だとしたら、倒れないようにたまに様子を見てあげよう、そのくらいはできる。私の考えも湖面をすべっていく風のようになめらかできれいに流れた。昔からこんなふうに考えていたみたいに。

さくさくと音がする砂利道を歩いていた。街灯のあかりが輪になってずっと白く重なっていった。

私は自然に中島くんの腕に腕をからめていた。ところどころ暗くてよく道が見えないし、蛇が出てきたらいやだからだ。そう言うと、

「こんな寒い時期に蛇なんてまだ出てこないよ。」

と中島くんは言い、

「でもなにかいるかもしれないし、虫とか。」

私は言った。

彼の腕は棒切れみたいに細いのにあたたかだった。

彼は急に言った。

「僕もこの暮らしが好きだ。いっしょに帰れるし。」

さっきの私の言葉への返事だった。

ずっとこうして歩いて来たみたいだ、と私は思った。みずうみのほとりを。この世のものとも思われない景色の中を。これから私はいろいろな人とこんなふうに歩

くだろう。でもこのような気持ちになることはもうないだろう……そう思った。

中島くんといると、切ないからではなくて時間が惜しく感じられるのだ。こんなにきれいで、こんなにも静かだと、もう他にひとりでも人がいたらこわれてしまう、と思うのだ。たとえばミノくんのような人だったら、いても大丈夫だろう。でも、私たちの繊細な世界は、なにかひとつの要素が入っただけでがたがたにくずれてしまう、そういう気がした。こんなにも強い絆《きずな》なのに、なぜかはかないのだ。

「中島くん、行かないで、どこにも。」

私は言った。

「あのね、それはパリとかのことではなくて、パリは行ってもいいの。ただ、この世にい続けようとしてほしい。」

「行きたくないけど、どこにも。」

中島くんは言った。

「でも体の中のなにかが、この世にいちゃいけないって、いつも言ってるみたいなんだ。」

「戦ってよ、中島くん。」

「戦ってるけど、でも、奪われたものが、多すぎて、うまく戦えないんだ。」

「弱気になっちゃだめだよ。」

私は言った。

「だって僕は、好きな子といるのにセックスもろくにできないんだよ？」

「そんなことはいいから、私性欲薄いし。」

「嘘《うそ》だ、僕にもわかる。ほんとうは君は底なしだ！」

「失礼ね〜！！！」

私は言った。私の声が静けさを破り、夜空に響いたような気がした。

「だとしてもあなたでは今のところ発揮されませんから。」

中島くんはくすくす笑っていた。

中島くんも、ミノくんも、寝ていてよくわからなかったけれどチイさんも、みんななにか共通するものを持っていた。

それは底知れない淋《さび》しさとか空《むな》しさという感じの雰囲気で、もう土台のところでどうしようもなく破壊されてしまったものを、後からなんとかしてつぎはぎに構築しているような荒れた風景だった。

この人たちがどういうところで知り合ったのか？　私にはうすうすわかりはじめていた。あくまで推測だけれど、なんとなく、そんな気がするというところまでは。

それでも、それが人生の真実の一側面だと認めるにはあまりにも暗すぎた。

私は夕餉《ゆうげ》の物音だとか、朝いってらっしゃいと言う笑顔だとか、夜目が覚めるとあたたかいぬくもりがとなりにあるだとかいうことの明るさを、もっともっとその頃はこの世の全《すべ》てだと信じていたのだ。

でも中島くんは違う、彼の世界では、いつだって暗いものも全部含めての世界だ。男女の差ではなく、生きてきた道の差だった。私は、自分でさえ同年代の人に比べたら世界を知っているような気でいたけれど、中島くんの重さにうちのめされるばかりだ。

中島くんはくすくす笑いながら私の手を取り、ふたりは静かにみずうみのまわりを歩きながら、駅へと向かった。平和だった。お弁当を買って食べながら帰ろうね、と言い合って、一歩一歩の歩みがまるで未来へと向かっているように思える夜だった。

振り返るとみずうみは霧に包まれて、淡くゆがんで見えた。

次の週から、私の壁画ライフがはじまった。

私はまるで工事現場で働く人のように、朝八時に家を出た。朝の光がいちばんいいからだ。

寝ている中島くんのほっぺたにキスをして、現場へ直行だった。

初日はたわむれる猿を数匹描いた。そして左端から三分の一ほどのところに、大きなみずうみを描くことにした。そのまわりにもやっぱり猿を描くことにした。木々と、静かな猿たち。みずうみを見つめているきょうだいの猿と、そしてお母さんと息子の猿と。

そんなものを描いてしまったら切なくなってしまうってわかっているのに、どうしてもそうしたくなったのだ。

「おサルさんを描いてるの？」

と話しかけてきた女の子が最初で、だんだん子供たちが集まってくるようになった。ペンキにいたずらしたりしようとしたら、本気で怒って、それからあやまって、男の子たちもちょっとずつわかってくれるようになった。親やさゆりに入れ知恵されて、

「おばさんの絵があれば、この学校なくならないの？」

と言ってきた子もいた。か細くて目が大きくて鼻が低い男の子だった。名前はよっちゃんで、英会話に来ているそうだった。

「おばさんの絵があっても、だめなときはだめだよ。」

「じゃあ、どうして描くの？」

「現場があって、依頼があるからよ。しばらくでも、きれいな色をつけたいじゃない？」

「芸術じゃないの？」

「残念ながら、違うね〜、どう考えても。ただのおサルさんの絵だね。」

笑いながら、私は言った。

「ねえ、あの猿たちだけ、幽霊なの？」

よっちゃんは言った。

見ると、みずうみのところの四匹の猿を指差している。まだ下書きなので、色がなくて半透明なのだ。

「違うよ、これから色をつけるの。」

「そうか、びっくりした。」

よっちゃんは言った。

子供ってすごいな、と私は思った。私はこんな楽しい絵の中に幽霊を描くなんて思いつきもしなかった。

私は色を塗りながら考えた。

みずうみのところはいちばん色が多いしバランスを取りたいから最後になりそうだが、幽霊のままではいけない。静かに暮らす彼らのために、うるさくなくて、でも楽しそうな色を塗ってあげよう。思い切り幸せそうな色にしよう、と。お茶も描こう。ケーキも描こう。辛辣《しんらつ》な眠り姫のまわりをきれいな色で塗ってあげよう。

中島くんは意外にも、私が壁画に熱中して陽があるあいだはずっと家にいないという生活になっても、私の部屋から消えなかった。

私は、どうしてか心のどこかで、壁画がはじまったら彼は消えてしまう気がしていた。

そういう夢を見てがばっと起きることもあった。涙が出ていて、自分でも驚く。家に帰ると中島くんが消えていて、荷物もない。あわてて窓辺に寄って窓を開けてみると、中島くんの部屋の明かりも暗い。中島くんがほんとうにいたという証拠がどこにもない。それだけで終わってしまうんだ……そういう夢だった。

いつそうなってもおかしくはない、ということを私は悲しい夢で毎回確認するのだ。

でも、毎日よれよれになって家に帰ると、中島くんは普通にいた。

ごはんを炊《た》いていてくれる時さえあった。

勉強し疲れて寝ているときもあった。そんな彼の横にはいつでもむつかしい生化学や遺伝子工学の本がたくさん積んであり、たくさんの付箋《ふせん》がきちっと貼《は》ってあった。

なにも確かではないふたりの日々。ただひとつだけ確かなことは、中島くんがまだ家にいて、生きているということだった。

ある夕方、家に戻ったら、中島くんが横になってぐうぐういびきをかいて寝ていた。

ちゃぶ台の上に彼のパワーブックが広げてあったので、うたた寝してしまったんだな？と思い、そっとふとんをかけようとして、気づいた。

中島くんはわきの下になにかをはさんでいた。四角くて、硬い銀色のものだ。

あまりにも異様に思えたので、はじめ私にはそれがなにか、どうしてもわからなかった。いや、少し違う。わかっていても、それを自分の頭が認めようとしないのだった。あまりにも場違いすぎて、シュールな感じがした。

そう、それは古びたもち網だった。

私はちょっとぞっとしてしまった。意味がわからなかったのだ。

そしてはさんだまま寝たら痛かろう、と思ってそっと取ろうとしたが、中島くんはそれをおそろしくぎゅっと、ちょうど小さい子が体温計を必要以上にぎゅっとはさむみたいにしてはさんでいて、とても起こさずに取れるものではなかった。

そのことでそれが彼にとってのものすごく大事なものだということはなんとなく

わかったけれど、その違和感は私の中に深く沈殿した。

起きたとき、このことを聞いてもいいのかな？

と私は真剣に考えてしまった。

でも、知らないふりをできないしなあ、と私は思った。だって、ここは私の部屋なのだから。目を覚ましたときに席をはずすべきなのかな？　とか。それもなんとなくおかしいことに思えた。

それで、ちょっと考えてみた。たとえば、もち網にしか、性的に興奮しないとか？

もしも彼がそういう側面を持っていたとして（人間はほんとうにわからないもので、昔、金魚にしか興奮しないという男の人を知っていた。金魚を見ながらでないとマスターベーションもセックスもできないということだった）、私はそれを「まあ、そういうこともあるでしょう」と心から思えるほどに、彼のことを愛しているのだろうか？

わからなかった。正直に言うと「そこまでだという可能性はあるが、まだそこまでは愛していない」というのが答えだった。

　私は考え込んでもんもんとしていたが、中島くんはさらっと起きた。起きて、がばっと起きあがって、わきにもち網をはさんだままで無防備にぼうっとしていた。

「コーヒー飲む？」

　私はたずねた。

「ああ、そうか、ちひろさん、帰ってきたんだ。昨日一睡もしていなくて、今寝てしまった。」

　中島くんは言った。

「もっと寝ていてもいいよ。」

　私は言った。

「いや、もう起きるよ。コーヒーもいただきます。」

　中島くんはそう言って、さりげなくもち網をはずした。それでいかにも寝起きらしく、あくびをして、ぼさぼさの髪の毛でぼうっと前を見ていた。

　そして私がじっと、何か言いたそうにしてじっともち網を見ているのにやっと気づいて、中島くんは言った。

「あ、これ？　これ、おふくろの形見。こわい夢見そうなときは、脇《わき》の下にはさんで寝るの。」

「そ、そうなんだ……。」

あっさりと解決したので、拍子抜けして私は答えた。どうしてもち網なの？　という疑問が顔に浮かんでいたのだろう。中島くんは答えた。

「大した理由はなくて、おふくろが大事にしていたものだから、なんとなく持ってきたんだ。薄いし、本にもはさめるし。これ、うちでおばあちゃんの代から使っていたみたい。」

「他になにかなかったの？」

「紙類だといっしょに寝られないし、宝石類は僕が身につけないし、ぬいぐるみは不衛生だし、時計は女物だとかっこわるいし、結局これがいちばんしっくり来たんだ。」

「しっくり来たって、どうして？　なんか痛そうに見えるけれど。」

「そうでもないよ。薄いし。」

中島くんが笑ってもち網を差し出した。

「触ってもいいの？」

「いいよ。」

少し焦《こ》げ目のついた、平凡な、四角いもち網だった。軽くて、固くて、冷たかった。

まるで歯ブラシやひげ剃《そ》りのような感じで、中島くんは普通にそれを道具として使っていた。そのことにちょっとびっくりした。異様なことなのに、本人はそう思っていない。

「中島くんにとってライナスの毛布は固いんだね。」

私は笑った。

中島くんは顔を真っ赤にして、言った。

「もしかして、これって、みんながしない、ものすごく恥ずかしいこと？」

その反応のキュートなことに、私は笑った。

「そんなことないよ、うちには『みんながしない恥ずかしいこと』なんて存在しないもん。だって、ここは家の中だもん。」

私は言った。

「よかった、また、なにかとんちんかんなことやってるかと思った。」

中島くんは本の間に大切そうに、しかし無造作にもち網をはさんだ。

私は、さっき自分が言った言葉に自分でちょっと驚いていた。それは、ママがよく店で言っていた言葉にそっくりだった。

「ここでは、カウンターに座って品よく飲むという以外に、ルールはないわ。どんなことをしゃべっても、いいの。普通は言わないこととか、社会ではよくないとされているだとか、関係ないわ。だってここはお金を払って、心の自由を買いにくるところなんだもの。」

ママはよく言った。

こんなことを言うのは恥ずかしいことですが、とか、みっともないことになっちゃった、とか、前置きをつけてしゃべり出すお客さんに、ママは必ずそう言った。

ママのオープンな心は人びとやパパの心の自由を手助けしていたのだ。

あ、ママがこの胸の中にちゃんと生きている、そう思ったのだ。

「ねえ、聞いてもいい？　こわい夢見そうなときって、中島くんにはわかるの？」

私は言った。

「うん、寝る前に目がぐるぐる回って、頭が重くなるの。そうしたら、確実にいやな夢見るってわかっているんだ。疲れているとか、気圧が低いとか、体調の占める割合が大きいと思うんだけれど。」

中島くんは淡々と言った。

「もう親に抱きつくわけにもいかないし、ちひろさんにもそんなには甘えられないから、もち網をはさんでおいたんだ、いつも通りに。」

私はうなずいたけれど、とても悲しい気持ちになった。

夜、中島くんが歯をみがいている後ろ姿を見ながら、私はちょっとだけ泣いた。ママが死んでからずっと、まるで「熱には解熱剤《げねつ》」「しゃっくりがとまらないときは驚かせろ」ということくらいに普通に、淋《さび》しいときやこわいときにもち網をはさんで寝ている中島くんを思うと、泣かずにはいられなかった。

でも泣いたってしかたないではないか。

彼はちゃんと合理的に自分の淋しさと向き合ってきたのだから。泣いたりするのは、そういう彼に対する侮辱だ、そう思ったのだ。

そういうふうに思って、泣かないようにした。

でも、夜中にトイレに行ったとき、本にはさんであるもち網のはじっこが闇《やみ》に光ったのを見て、私はまた泣いてしまった。

中島くんはすうすう寝ている。

私は悟った。この人は、そう簡単に人の家に転がり込んだりしない人なのだ。だから、この人がそういうふうにしようと思ったのなら、それは本気なのだ。

私が、まだ子供っぽいし実際子供である私が、彼の信頼をできれば損ないませんように、そして、彼がいつまでもこの家で安心して眠れますように、そういうふうに私は本気で、頭が痛くなるくらいに願った。

壁画は下書きも終わり、色をどんどんつけている段階で、もう迷うところもなく完成した像が見えてきていた。後はそこへ向かって進むだけだった。

毎日もくもくと手を動かすのは楽しかった。この段階がいちばん楽しいのだ。終わりが見えていて、毎日積み重ねていくだけというのがいちばんすいすい進む。頭も使わないし、子供たちと遊ぶ余裕もちょっと出てくる。昨日は女の子たちにピンク色を塗らせてあげた。後ではみ出したところを直したりしてかえって大変だけれど、日程に余裕があるからそういうのも楽しい。

そして、たまにぽかんとひとりになる時がある。奇跡的に人通りもなく、静かで、ふっとそれに気がつくような余裕がある時だ。

私が、ひとり安らかな時、子供たちもいない、お手伝いの人もいない、構図でも悩んでいない……そんな瞬間はそうそうあるわけではないけれど、そんなとき、私がどういうふうに、何を考えているか。それは、誰にもわかられたくない。

私は壁にもたれて、魔法瓶の中のちょっとぬるくなったコーヒーをカップに入れる。

おしりは痛いし、首も痛い。腕もつりそうだ。体もなんとなく奇妙に冷えている。でも手を動かしているあいだはそんなことを全《すべ》て忘れていた。

そして、ふと気づくと誰もいなくて、空がぽっかりと広がっている。はるか向こうに見える校舎の屋上の旗がものすごくはためいているのに、他は全部が止まっているように見える。

そんなときに私がコーヒーを飲みながら、何を考えているのか、どういう悲しみを持っているのか、そういうことを、ひとりで持っていたい。誰にも言わず。

ああ、今日はずいぶん遠くまで行ってきたと、私はたいてい思うのだ。


「今日は湯豆腐にしたよ。」

家に帰ったら、中島くんが起きていて、エプロンをして迎えてくれた。

部屋の中は、よく煮込まれた昆布の香りでいっぱいだった。

「中島くん、その様子、まるでヒモみたいだよ。」

私は言った。手も靴もペンキでいろいろな色がついている私はまるで港についた船乗りのような荒々しいムードで荷物をどさっと置いた。

「だったら、それは工事現場で働く男のヒモだね。」

中島くんは言った。

「そんなにペンキだらけで、筋肉もついて陽に焼けて帰ってくる女はいないよ。」

「それは、そうかも。水商売の女には見えないかもね。」

私は笑った。Gパンにトレーナーにひっつめ髪で、日焼け止めの塗りすぎで顔は変なまだらに白く、くつしたや鼻のわきにまでペンキがついていた。

「ひとりぶんの食事を作るのは実にムダが多いと思うんだ。材料のムダ、時間のムダ。でも、ふたりぶんだとそれが感じられないんだよね。」

中島くんは言った。

私は家に上がって、台所をのぞいて言った。

「ありがとう、うわあ、よくこんなにきれいにお豆腐を切ることができるね。」

鍋《なべ》の中の豆腐は、まるでものさしではかったようにきちっと切ってあったのだ。

手を洗って、二人で向き合って湯豆腐を食べた。

こういう時間にママはいつでも店に出ていたし、中島くんは変わった家庭に育ったようだし、私たちはよく知らない生活をなぞって、おままごとみたいに家族のだんらんごっこをしているようだった。お互いにこれをあたりまえだと思っていないから、心から、むさぼるようにこの時間が幸せなのだ。

「いいなあ、人と湯豆腐を食べるって。」

私は言った。

「あのさ。」

中島くんは言った。

「僕は卒業したら、やはり、なるべく早くパリのパスツール研究所に奨学生として行こうと思うんだ。チイに保証されたのと、ちひろさんがいるからできるような気がしているのとで、急にそんな気持ちになった。博士号は多分取れるという見込みがあるから、とりあえず応募してみることにした。もちろん推薦状だとか、論文だとか、研究概要だとかを提出して、試験があって、受からなくちゃ行けないんだけれど、調べてみたらそこは日本の財団と提携しているので、比較的容易に行けるプログラムができたらしいんだ。もし今年受からなくても、来年またトライするし、受かったら半年は絶対に行くと思うんだけれど。」

淋しいよりも先に、よかった、と思った。彼は好きなことしかできないのだから、そのほうがいい。

「ちひろさんはどうする？」

「どうするって？」

私は言った。

「私はパスツールに興味ないもん。強いて言えば蚕について何かしたとか、狂犬病のワクチンを創《つく》ったことくらいしか知らないよ。あと、研究所の地下に墓があるんだっけ？」

「そんな変なこと知っていたら上等だよ。」

「それはTVで観《み》たの。NHKのドキュメンタリーで。」

「そうなんだ、だいたい、ちひろさんって、僕がどの学校のどの学科にいて何を専攻しているとか、全く気にならないの？」

「あまりならない。だって、聞いても覚えられないもの。なんか、DNAとかヒトゲノムとかそういうことでしょ？　で、医学部なんだけれど、医者にはならないんでしょ？　で、研究者といっても、味の素とかビール酵母とかは関係ないんでしょ？　米ぬかとか。」

「まあ、そうだけれどさあ。一般の人の知識がいかに偏《かたよ》っているか、ちひろさんの言っていること聞いたらよくわかった。」

「そうかしら？」

「ほんとうに興味ないんだね。」

「でもさ、藍藻《らんそう》の研究もしたかったっていうのは覚えているよ。だからそもそも農学部に入ったんでしょ?」

「藍藻の研究じゃないよ、藍藻を使った実験に興味があるんだよ。菌を培養したり、遺伝子を入れるための条件を研究したりするんだ。だいたい僕が出たのは、農学部じゃなくて、昔はそう呼ばれていたのかもしれないけれど、厳密には生物資源学部だよ、生命工学科。全然違うでしょ? で、今は医学部の医学研究科にいるの。」

「そんなの覚えられないよ、藍藻だったら農学部でしょっていうイメージがあってさ。じゃあ、中島くんは、私が何学部出たかには興味あるの?」

「N芸大の短期大学部の空間演出デザイン学科でしょ? シニックを専攻したんじゃなかった? ディスプレイじゃないほう。」

「よく覚えてるねえ、感心しちゃう。私も忘れたことを。」

「普通は、一度聞いたら、忘れないよ。」

「で、なんだっけ? 私はどうするって、なにを?」

「パリにきっと美術の学校がいっぱいあるでしょ?」

中島くんは言った。

「あるよ。」

「半年とか一年のもあるよね。」

「あるんじゃない？」

「それに行こうよ。いっしょに行こうよ。僕、もう一生こうやってちひろさんとい
ることに決めたんだ。」

中島くんは言った。

「決めたって、なにそれ。プロポーズ？」

うわあ、なんだか重い。嬉《うれ》しくない、と思いながら、私は言った。

「違う。」

ていねいに首まで振って、中島くんはきっぱりと言った。

「なんじゃそりゃ。」

私は言った。中島くんは答えた。

「ただの必然。他の誰とも暮らせないけど、ちひろさんとなら暮らせるから。そし
て、僕もずっとひとりでいるのはもういやだから。ひとりで、もち網をはさんで寝
るのはもういやだから。一度ひとりでなくなると、もう、元の生活には戻れない。」

「なんだか、そうきっちりされると面白くないわねえ。」

私は言った。

「パリか、行ってはみたいけど、でも、今、仕事が面白いからなあ。」

「次の仕事、本決まりではないんでしょう？」

中島くんは言った。

「うん、まだ話がいくつかあるだけ。急ぎでもないみたいだし。」

「じゃあ、いいじゃない。なんで今、この年齢のこの時期に日本にいなくちゃいけないの？」

中島くんは言った。

確かにそうだった。パリに特別興味があるわけではないけれど、前にママと行ったときには一時間くらいしか見ることができなかったルーブル美術館を何日もかけてはじからはじまで見てみたいし、ベルサイユ宮殿だってまだ見ていない。

それになによりも、ママはもういないから、私が今、日本にいなくてはいけないわけはなにひとつないのだった。

そう思ったら、すこんと淋しい気持ちになった。

生きているママにしばってほしかった。外国なんて遠いし、会えなくなるからと難色を示してほしかった。そう言っている声が聞きたい。でももうそういうのは、なにもないのだ。

「それもそうだね。」

「そういう考えは、自分の家がいつでも同じ場所にあるっていうふうに思えている人の特徴……」

なにか、ものすごいことを言いかけてから、中島くんは黙った。

それ以上は言えないし、言いたくないという黙り方で、最近の私はこのことに慣れてきていた。具体的に何かを知ったわけではないのだが、だいたいのことがわかってきていたのだ。

しばらくしてから中島くんは言った。

「部屋も、食事も、ふたりでシェアしたほうがきっといいよ。君が出せない分は、言い出しっぺの僕がカバーできると思う。」

中島くんは言った。

「ああ、言い出しっぺって言う言葉を、久しぶりに聞いた。」

私はとんちんかんなことを言った。そして続けた。

「まあ、ママの遺《のこ》してくれたお金もあるし、行けるとは思う。パパもいろいろ援助してくれるでしょう。」

中島くんはうなずいた。そして言った。

「あのさ、ちひろさんのママのお店だって、ママが死んでしまったらパパの持っている物件として残されたわけでしょう？　少しばかりのお金をパパに出してもらう、そのくらい当然の権利だよ。もらえるものをもらうことが愛情っていう場合もあるでしょう。」

それもそうだった。そういう考えを、なるべく排除しようとしていたのだ。

「ちひろさんは、逆の意味なんだけれど、お金にルーズ過ぎるよ。」

中島くんに現実のことで説教されたのがちょっと嬉しくて、私はにこにこした。

最近、中島くんの奥から、中島くんの言葉がどんどん出てくるようになってきている。それが嬉しかった。

そのためなら、私はなんでもしようと思った。

パパに会いに行ってにこにこすることさえ、してもいいと思ったのだ。

ある午後、すっかりなじみになったよっちゃんと、そのなかよしの美樹《みき》ちゃんがやって来て、私におやつをくれた。おせんべいとポテトチップスとチョコレートだった。

「だいぶ色がついてきて幽霊じゃなくなったでしょ？」

私は言った。

壁画はだいぶ完成していて、私は毎日眺めてはバランスを取るために色を足したり、ところどころ描きなおしたりしていた。しだいにいろいろなことがひとつの世界にしぼりこまれていく段階だった。

「まだ幽霊、淋《さび》しそう。」

よっちゃんは言った。

「そんなこと言わないで、こわいよ。」

美樹ちゃんは言った。

「あたし幽霊嫌い。」

「おサルさんでも？」

私は言った。

たとえ色がついても、あの人たちの淋しさが絵に表れてしまうのだろうか、と思いながら。

「うん。」

「みずうみって実際には見たことない。」

よっちゃんは言った。

「あたしはあるよ、芦《あし》ノ湖。」

美樹ちゃんは言った。なんという斬新《ざんしん》な会話だろう、と思って私は聞いていた。それに、だめか、まだあの人たちは幽霊に見えるのか、とも思った。他の猿となにかが違うということが、子供にはわかってしまうんだ。でも、そんなことが伝わるなら、私の絵はまんざらでもないのではないだろうか……。

それからふたりはＴＶの話をはじめて、私は色を塗り続けた。じゃまと言えばじゃまだけれど、幸せと言えば幸せだった。

振り向くと子供たちがしゃがんでいて、自分たちの持ってきたお菓子とさっきさゆりが差し入れてくれたおまんじゅうを食べながらしゃべっている。私は魔法瓶から熱い薬草茶を飲んでいて、そのおしゃべりの中に光るいろいろな色の輝きの何かを絵に取り込めないかとさぐっている。

地面に座るとお尻《しり》が冷たいし、ずっと腕を上げているので脇《わき》が痛いけれど、描くのをやめられない。

色を塗るとその先にまた色が見えてきて、それを追いかけているうちに陽《ひ》がくれて描けなくなって、へとへとなのでよく眠れる。

そして、家を思い浮かべると、今は中島くんの姿がある。私がいてもいなくてもずっと勉強しているくせに、いつでも私の家にいる中島くんの姿だ。一応会いたいと思ってくれているのだろう。彼が家に来るということは、彼がいたいと思っているということなんだ。そのことをこれ以上信頼できる人がいるだろうか。

あの人がいるところが、私にとっての帰るところ。なので、私は一日何も考えずにいられる。これからどうしようかとか、そういうことを。

子供たちはやがて帰り、今日はいいところまでいったな、と思って休憩していたら、さゆりが暗い顔でまっすぐこちらにやってきた。

さっき通ったときは笑顔で手をふっていたので、何事かと思って私は待っていた。

「ちょっといいかな、ちひろ。」

彼女は言った。

「あまりいい知らせではなさそうだね。」

私は言った。絵は描いたものの、やはり改築が決まったとかだろう、と私は思った。

でも、問題はもう少し微妙で、多少考えさせられるものだった。

「それが、実は市長から電話があって、スポンサーが現れたっていうんだよね。」

「はあ、だって、これって市が出してくれるんじゃないの？」

「いや、話し合いで、市の活性化に役立つならって、スポンサーが全額出してくれることになったんだってさ。」

「べつに今からそんなことしてくれなくてもいいのにね、何だろうね。」

私は言った。さゆりはうなずいた。

「でね、その代わりに、この絵の中になるべく大きく、その会社のシンボルキャラクターのマークを入れられないかっていうんだよ。あのさ、高速の入り口の近くにある、でっかいこんにゃく工場のてっぺんについているマークなんだけれど。」

さゆりはとんでもない色合いの、こんにゃくに目鼻がついているキャラクターが入っている、グレーの変なロゴマークを見せてくれた。

「なにそれ！　冗談としか思えないよ！」

私は笑って、さゆりも大笑いした。

しかし、この冗談のようなことがよく起きるのが実社会であると、私もさゆりもよく知っていた。なので、笑いが収まってから笑いすぎて出てきた涙をふいて、

「無理だよ。だって、もうほとんど下書きも描いちゃったもん。」

と、私は言った。

言いながらも、どうにかしてこれをおもしろおかしくデザインして入れ込めないかな、と思ったけれど、どうにもならなさそうだった。

それに多分、そういうふうに入れ込んでも、喜ばれないんだろうな〜、とうすうすわかっていた。

「とりあえず、私がいろいろ交渉してみるから、希望を言って。」

さゆりは言った。

私はなんだかめんどうくさくなり、

「じゃあ、今から降りるから、新しく描いてもらったらいい。そのマークを。もし

くは、そのマークを入れて絵が描ける人を。」

　と、言った。

「もう、どうしてあなたはいつでもゼロか百なの？」

　さゆりはあきれた顔をして言った。

　私はしかたなく続けた。

「じゃあ、私のサインの上のところに、どうせ協賛として市の名前は入れるから、そこに小さくマークを入れるくらいにしてもらえないかなあ？」

「それが、できればもっと大きく、絵として入れてほしいって言うのが、その社長の希望らしいの。」

　さゆりは言った。

「でも、それだったらちひろに頼まなくてもいいし、今から全部描きなおすなら必要なお金は百万円になりますよって、私はおどしてみてるところ。」

　さゆりはにこにこしていた。

　私はそういうさゆりが好きなので、さゆりに意見しているようにならないよう、なるべく優しい言い方で、言った。

「正直言って、私の絵が特別すぐれているとは思えない。そんなに遠くなくこの壁が取り壊されるかもしれない、という気持ちを持って描いているし。でも、壊されるから描かない、という考えと、取り壊されるからなんでも描いちゃいます、というのは全然違うと思うの。私のしているのは頼まれた絵をさくさく描くような、映画の看板を描くような仕事じゃないんだよ、一応。頼まれたときは、私の絵でなくてはだめ、ということだとして、引き受けるし、それに見合ったことはかろうじてだけれど、やっているつもりなの。だから、簡単に何か……なんでもいいよ、どんなにかわいいこんにゃくマークでも、ピカチュウでもガンダムでもハム太郎でも、それを入れ込めっていうことは、もう、私の仕事を理解しないで依頼したということになるからね。」

「うん、私にはよくわかってる。そもそもそう思ったから、ちひろに頼んだわけで、責任は私にあるから、大丈夫。一応伝えに来ただけで、説得に来たわけじゃないから。」

先生をしているだけあって、さゆりは落ち着いていて頼もしかった。

「とにかく、もしその要請が絶対だったら、私は、そんなシステムの中では、仕事はできないよ。根本が間違っているもの。頼む相手が間違っているよ。そういうのは看板を描く仕事の人に頼まなくちゃ、って伝えておいて。看板を描く人を低く見ているのではなくて、職種が違うの。いくら私が素人《しろうと》に毛が生えたような壁画描きだからといって、職まで変えるわけにはいかないよ。」

私は言った。

そして絵を見た。かわいそうなおサルさんたち、もしかしたら、上から色を塗られて、なくなってしまうかもしれない。でも、短いあいだでもここにあったことを、もしかしたらよっちゃんあたりがずっと覚えていてくれるかもしれないしね。

そう思ったら、自分のこだわりがふっと柔らかく風に吹かれて消えていくような、自由な感じがした。ああ、どこに行ってもいいんだ、というような感じ。

それはめったなことではおとずれない、自由の感触だった。

いいぞいいぞ、と私は思った。

まあ、とりあえず写真だけでも撮っておこう、と思い、私は空をバックにしてデジタルカメラで壁画の写真を撮った。この、特別な期間の喜びを刻みつけるために。

「なにか手があるよね、きっと。」

さゆりは言った。

「とりあえず、私はちひろの出た番組のビデオを上の人たちとその会社の人たちに見せて、芸術的価値を訴えてみよう。」

「それほどのものではないのが、恥ずかしいけれど。」

私は言った。

私はこのときはじめて、自分の職に対して、少しだけ本気になったのだと思う。

そのこんにゃく会社の社長はまだ私の絵を見てないのでなんとも言えないけれど、誰もが上からロゴマークを入れ込みたくなくなるような絵をまだ描けてない自分の責任でもあるんだなあ、と素直に思えたのだ。

やっぱりもっと絵の勉強をしてこようか、もっともっとすごいものをたくさん見て、自分の小ささを知ろうか……パリへ、パリへとどんどん道が勝手につけられていく。そして私の部屋で熱心に勉強しているときの中島くんの横顔も浮かんだ。

私もあんな顔をして、絵を描けるようになりたい。一日のいろいろなことから逃げるのではなく、あったことの全《すべ》てを違うエネルギーに変えて自分の一部にしたい。あんなふうに。

でも、その前にこのことのかたをつけていかなくちゃ。

「わかった、じゃあ、私はできれば雑誌とかに出て、自分の知名度をちょっとあげてみる。だって、きっとそういうのに弱いでしょ、おじさんたちって。それで、卒業制作のときに指導してもらった教授がかなり有名な人だから、その人に頼んで市長に一筆書いてもらうことにするわ。地元の人だから、かなり影響力あると思うんだよね。駅前の変な銅像創《つく》ったのも確かあの人だし。」

私は言った。

「さらに、その全てをふまえて、資料として送るのといっしょに、なるべく抗議っぽくなく、機嫌をそこねないようにこんにゃく会社の社長にお手紙を書いて説得してみる。それだけやって、だめならあきらめるわ。」

我ながらすばらしい思いつきだと思った。こんにゃく会社の社長がよほどお金持ちでへんくつな人でなければ、わざわざ描いたものを消してお金をかけて描き直せ、とは言わないだろうから、多分うまくいくだろうと思えた。

「それは、多分うまくいくでしょう。でも、ほんとうにごめんね、よけいなことでわずらわせて。」

さゆりは言った。

「いいよ、やれるだけのことはやる。」

もしかして、これが日本での最後の仕事になるかもしれないから、と私は思った。

壁画描きに固執しているわけではないから、私がどうなっていくのか、私にもわからないのだ。

なにをして生きていくにしても、これに似たことはこれからもたくさんあるだろうけれど、うまくいこうがいくまいが、いつだって、こうしてできるだけのことをすればいい。それでたまに吹いてくる甘い香りがする自由の風を吸い込もう。

「なにか決まったら、教えて。」

私は言った。

「それまで、お休みにしておくね。もちろん、さゆりが悪いわけではないってわかっているから。」

行動もしなくちゃいけないし、頭も冷やさなくちゃと思ったし、完成間近の絵を見ていると悲しくなりそうなので、私はさっさと荷物をまとめた。

もちろん、私は怒ってはいなかった。特にさゆりには、申し訳ないというふうにさえ感じた。

私は名のある芸術家ではないから、安く頼めると彼らは思った、それは当然だとしよう。そして、大した人ではないから、きっと依頼通りに、ほいほいとスポンサーの宣伝も入れてくれるだろう、そうも思った。

まあ、ある意味当然だろう。銀行からぽん酢まで……まあ、これはたとえだけれど、あらゆるところに蔓延《まんえん》していた。そういう融通の利《き》かせ方は、この社会のありとあらどんなところにもそういうあいまいな形で求めていく小さな利益が見つけられた。その小さな利益のために、境目がなくみな器用に、相手の身になって意見を抑えて、責任を誰も取らないでぐにゃぐにゃと中間のところにまとめて、どんどんあいまいになっているのに、なぜかきつい枠に押し込められていくいろいろなことを私は見てきた。

でも、私にはそういう全部の生ぬるさがたまらなく退屈に思えたのだ。

せっかく世界と気持ちよく遊びながら、少しでもましなものを残そうと、ちょっとでも高くまで飛ぼうと思ったのに、退屈だなあ、というふうに思ったのだ。

たとえば私が、幼児教室をなによりも大事に思っていて、組織の中に入っているさゆりだとしたら、解決法はいっぱいあるだろうし、みなのいいような策を取るだろう。

でも、私がここでほいほいと言うことを聞いたら、私の職業の意味そのものが、変わってきてしまう。もしくは私が旅人だとして、この街を通りかかってこの壁を見たとき、広告が入っていたら「なんだ、かっこわるいな」と思うだろう。そしてもっと思うのは、たかが五十万円を出すくらいで自分の名前を記さないと気が済まないような会社は、あまりいい会社とは言えないということだ。

五十万円は今の私にとっては大金だけれど、だからと言って、もらえればなんでもするというようなものでもない。まして職種を変えるなどということをしたら、あとで私の人生のそこからあとが、変なふうにぐにゃっとゆがんでしまう。

それを考えていたら、私の尊敬する彫刻家のあるエピソードを思い出した。

その人は、ある街の広場に像を創ることを頼まれて、そこはもともとジプシーの住んでいた森があった場所で、そこでたくさんのジプシーが戦争の時に死んだから、ジプシーたちの像を創ろうと提案した。ジプシーの受けてきた恐ろしい差別についで、彼は思いをはせていた。人間の闇《やみ》に翻弄《ほんろう》され、常にその真実は隠蔽《いんぺい》され闇に葬《ほうむ》られてきた彼らにこそ、その場所はふさわしいと思ったのだ。しかし市長と市民は、ジプシーたちは今もいて、ひったくりとかすりとかをやっていて観光客をおびやかしている、そんな人たちを像にするのは賛成できない、と言って、話は中断したままになった。

そんなふうに、ものごとはそれぞれの立場でごく普通に違うものだ。

違いを正すために戦うことだけが大切なのではなく、違うということを知りぬき、違う人びとの存在理由を知るのがいちばん大事なのだと思う。

私は、私の立場を貫くのが仕事で、そのためにはもっと技を磨かなくてはいけない。知名度がいくらあがっても、永遠にその食い違いは続くので、根本のところでは私の絵が下手なのはあまり問題に関係ない。

でも、違う。自分に自信があれば、違いをもっとずっと貫けるのだと思う。

そこが大切なのだ。

私はまだ、正直に言って、あの変なロゴマークよりも私の絵があったほうが街の人たちにとってすばらしいと、ほんとうの自信を持って言うことができないのだ、悲しいことに。そこが私のまだ若くて半端《はんぱ》なところだろうと思ったら、少し恥ずかしくなった。

早くに部屋に帰ったら、中島くんはパワーブックを広げながら辞書を引き、もうぜんと勉強していた。

「あれ？　早いね。」

彼は言った。

「ごはんのおかずを買ってきたから、今夜は作らなくていいよ。」

私は言った。

そんなことが言いたいわけでもなかったのだが、なんとなくだ。

「なんだ、夕飯作りが今日も気分転換になると思ったのに。」

中島くんは言った。

「じゃ、散歩ついでに、コーヒー豆屋さんでテイクアウトのコーヒーでも買ってこようか。」

そして、はじめて私の顔をちゃんと見て、言った。

「なにか面白くないことがあったんだね。」

私はうなずいて、今日あったことを話した。

「うん、ちひろさんの知名度やレベルとこの街の文化的な田舎度を考えてみると、いかにもありそうな話だなあ。」

中島くんは言った。

「言いにくいことをはっきりと言うねえ。」

私は感心した。

「だって、思ったことを言わないと、ちゃんと話さなくちゃいけないときに、嘘《うそ》をついたことになるじゃない。」

中島くんは言った。

「とにかく、私はあの絵の上にこんにゃく会社のマークを描き足すなんて、どう工夫してもできない。」

「どういうマークか、見たの？」

「見たよ、こんにゃく君の上に、文字を変なふうに組み合わせてあって、すごくかっこわるい。」

「角《すみ》のところに小さく入れるとかは？」

「それは全然かまわないんだけれどさあ、とにかく大きいっていうのが条件だそうなのよね。」

「それは、はじめから言ってほしいね。」

「でしょ？」

「でも、ちひろさんの絵がいくら発展途上のものでも、そこには後に大きな木になるものの芽みたいな、きらめきがあるのは確かだから、それを見誤ってもらっちゃ困るよね。」

「また、言いにくいことをはっきりと……私もまだ自分の絵に価値があるとは思ってないよ、だからこそ、壊されるかもしれないところに平気で描けるんだから。」

「そうそう、でもその謙虚な自覚と、人がそれを広告看板みたいなものと判断するのは別のことなんだ。」

「私もそう思います。」

「だって、依頼されて仕事をしているんだから、途中で依頼内容があいまいになっちゃ困るよね。」

「その通りです。」

「じゃあ、もしも『はじっこに小さく協賛としてマークを入れるという条件が通らなければ、断ります。』っていうことにしたら？」

「そうしてきた。」

「……あとは、芸大の教授とかに有名な美術評論家の人なんかいない？　そういうコネとか。」

「あるよ。」

「そういう人に、言ってもらえばいい。権威には権威をぶつけてみたらいいと思う。それから、もしも今のうちに取材に来てもらえるなら、なにかしらちひろさんの絵の価値を意味づけるような記事を出してもらってしまえば、有利だと思う。もしもどこかの段階でもめて裁判になっても、いいんじゃない？　さゆりさんがどうなるかは、さゆりさんが考えればいいんだし。

あのさ、僕たちみたいな人間は、結局いつでも真ん中にはいないんだ。はじっこの存在で、あまり目立たないほうがいいんだと思うんだ。たいていの判断はみんなと逆になるし、目立てば必ず悪く思われる。でも、最後のところでゆずれないものだけは持っていないと、ただの世捨て人になってしまうから。」

中島くんは言った。

あまりにも意見が似ていたので、話を聞きながら、私はなにかの魔法を見ているように思えた。

意見がほとんど違わないということで、私の「絵を中断してよけいなことをやらなくちゃならない」という、むしゃくしゃした気持ちも消えた。これもまた、まるで魔法のように消えたのだ。

外でいやなことがあった日、昔だったら家に帰って猫を触ったら気が晴れた。それと似たような感じで、中島くんが私の心にうずまいていた毒を中和したように思えた。

前の私だったら、とりあえず黙って家に帰って、恋人とセックスして、気をまぎらわして、今日あったことなどおくびにも出さずに、自分の中におさめただろう。

恋人というものをその程度にとらえていた。

でも中島くんは違う、真剣勝負の人なのだ、そう思えた。

ほんとうに人を好きになるということが、今、はじまろうとしていた。重く、面倒くさいことだったが、見返りも大きい。大きすぎて、空を見上げているような気持ちになる。飛行機の中で、光る雲の海を見ているような気持ちに。

それは、きれいすぎて悲しい気持ちととてもよく似ている。

自分がこの世界にいられるのが、大きな目で見たら実はそう長い時間ではないと気づいてしまうときの感じに、とてもよく似ていたのだ。

私には、他にもしなくてはいけないことがあった。

「パパ、駅にいるんだけど、今日中にちょっと会えるかな。」

会社に電話するのがいやで、駅から父の携帯電話に電話をかけた。

「急だなあ。」

パパは言った。

「だって、急に仕事の予定がなくなったんだもん。」

私は言った。

「こんなことでもないと、なかなか来られないから。」

パパは言った。

「夜、少しなら抜けられるから、二時間後に夕食を食べよう。」

パパが指定したのは世にも中途半端なイタリアンレストランで、そこに行くとパパが地元の名士の感じを思い切り出すから、とてもいやなのだった。でも急に呼び出すのだし、ごちそうになるのだから、文句は言えまい。そう私は思った。

私程度の家庭環境だったら、過去のどの部分にも心の傷なんてありえない、あるとしたら自分で創《つく》るものなんだ、と最近中島くんと比べることが多いので思っていたけれど、そのくらい自分はタフだと思っていたのだけれど、やはり駅でちょっと涙が出た。

ママが生きているときに通った日々が、まだあちこちに焼きついているようだった。

駅の感じが思い出させる。病院に走る、幸せだった自分が見えるようだ。いつでも幸せは後にならないとわからない。それは匂《にお》いや疲れなどの肉体的感覚が、思い出の中にはないからだろう。いいところだけがふわっと見えてくるからだ。

その思い出の中のどこを自分は幸せとしたのか、それは意外な形でよみがえってくる。

今回は駅のホームに降り立ったときの感じだった。これからママに会いに行く、ママはとりあえず今日はまだ生きているんだ、そう思えた幸せがよみがえってきたのだった。

そして今の淋《さび》しさが。よるべない感じが。

この駅に来て、これからパパには会えても、いつもみたいにママに会えるわけではないのだということが。

「ここのシェフはイタリアに四年間も行っていたんだよ！　君きみ、ちょっと杉山シェフの手がすいたら顔出してもらえるように言ってくれる？　娘に紹介したいから。」

パパは案の定言い出した。私は心の中で、もうその話前に聞いたし、今客がいるのに手がすくときなんかあったらだめだろう、と思ったけれど、黙っていた。

やがて高い帽子の人がやってきて、ひとしきりパパと話し、私にも挨拶《あいさつ》してくれたので、にこにこしていた。

もう少しで日本を離れると思うと、そしてパパにもしばらくは会えないかと思うと、どんな自慢話でも大切に思えた。

そして、シェフがイタリアに四年間行っていたわりには、どう考えてもゆですぎの大量のパスタとか少ない量のメイン料理が次々と運ばれてきた。きっと田舎のお客さんに合わせているうちにやむなくそうなっていったのだろうと思う。大学時代にイタリア人の留学生もいて、貧乏旅行で彼らの地元をたずねたことが何回かあった。もちろんこんな中途半端なレストランはイタリアにはなかった。

そんなことを懐《なつ》かしく思い出しているうちに、ああ、私はもうすぐヨーロッパに行くのだという気持ちがどんどん高まってきた。自分のためにも行くんだ。

私はパパに言った。

「パパ、来年から、私パリに留学しようと思っています。」

「男も行くんだな？」

パパが即答したので、私はびっくりした。

「なんでそう思うの？」

私は言った。

パパは答えた。

「だって、顔が違うもん、妊娠しそうな顔してるもん。」

「そう?」

私は微笑《ほほえ》んだ。自分で思っている以上に、私は浮かれているのかもしれない。

「でも、いいんじゃない? そういう気持ちになっただけでも、いいことだな。行く前に、そいつをパパのところに連れてこい。」

「うーん、できればね。でも少し待って。」

私は言った。あんな変わった人、家族になんか会わせられない。

「そいつはなにやってるんだ? まさか画家になりたいなんていうんじゃないだろうな。」

パパは言った。

「違います。」

私は言った。

「彼は年下? 学生なの?」

パパは言った。ところどころ合っているので、親とはすごいものだなあ、と感心した。

「医学生だよ。同じ歳《とし》だけれど、大学院に行ってるの。博士課程を修了したら奨学生として向こうの研究所に行くことにしたんだって。」

「やっぱり男がらみか、面白くないな、正直に言って面白くない。」

パパはほんとうに不機嫌そうだった。

「ひどい、誘導尋問だわ。」

私は笑った。

「じゃあ、向こうの美術学校が決まったら、かかるお金の明細をちゃんと送りなさい。それで、たまには帰ってきてパパに顔を見せてくれると約束しなさい。」

「そこまではいいよ、ママの遺《のこ》してくれたお金があるもの。」

私は言った。

「それに、なにもくれなくても、会いには来るわよ。パパもパリに遊びに来てちょうだい。でも正直に言うと、パパだけに会いたい。もう、パパのまわりの人には正直言って、会いたくない。」

「パパも姉貴や親戚《しんせき》におまえが会って、いやな気持ちになるのは好きじゃない。」

パパは言った。

「もしも俺が送金したら、つきかえしはしないでくれよな。そして何かあったら必ず知らせてくれよ。体をこわしたとか、妊娠したとか、男と別れて一人暮らしになったとか、学校をやめちゃったとか、そういう変化があったら、必ずね。それで、できればいつでもいいからそいつに会わせて。」

「うん。」

のびたパスタを食べながら、ありがとう、と私は思った。

パパとの関係がまたひとつ区切りを迎えた。

大人になる気はなくても、こうして人は押し流されて選んでいるうちに大人になるようになっている。選ぶことが大切なのだと思った。

パパの近くに立つと、おじさんの匂いではなく、いつのまにかおじいさんの匂いになっていた。

離れて暮らすということはそういうことだ。

私たちは多分、もう一生同じ家で暮らすことはないのだろう、そう思ったとたんに、どうでもいいような日々がかけがえのない思い出になる。置いてきてしまった日々ともう一度出会う。そこにはパパが生活の中に混じっていて、区別がつかないほど同じ色で編み込まれている。

でも人生は絶対にわからない。パパの仕事が失敗して倒産してこの街の人がみなパパを捨てたら、パパが近くに住むことくらいはありうるかもしれない。私が案外大金もちになっていて、パパに部屋を借りてあげたり。ありえないとはわかっていても、そういう空想は私の焼きもちを少しなぐさめた。

ママがいなくなったとたんに、この街にパパを取られてしまった私の焼きもちを。私の中にいる子供の私が泣いている。パパはママが死んだら、私の親としてだけ暮らしてくれるんじゃなかったの？ なんで素知らぬ顔をして同じ会社を経営し続け、同じ親戚たちと過ごしているの？ 家族の時間はなんだったの？ やはり「ごっこ」に過ぎなかったの？

でも、大人の私は自由がほしくて、パパが私のほうにぐっときてしまったらほんとうは困る。

だから、まるで恋愛を隠している男女みたいに、ふたりで暮らして行けたらいいとお互いがちょっとずつ思っていることを、ふたりともじっと黙っている。

こういう愛もあるんだな、と思う。

心配しあって、抱き合って、いっしょにいたがるだけではなくて、じっと抑えているからこそ絶対的に伝わってくるもの。ハムやお金に交換されてやってくるほんとうの気持ち。

読み取れる感受性だけが、宝なのだ。

交渉のやり方がよかったらしくて、全《すべ》てはうまく運んだ。

私は雑誌の締め切りにぎりぎり間に合うインタビューを受けることができた。おかげでタイミングが合って、まだ絵を描いているうちに、その雑誌を見た人が現場を見学に来るようになった。街の人も、雑誌を見たら、雑誌に載っているくらいだからきっとこの子供の落書きみたいな絵にも価値があるんだろう、と思うようになったようだった。

私がまじめに書いた手紙と、大学の教授が書いた推薦の手紙もこんにゃく会社の社長のもとに届き、社長が壁画制作現場を見に来て、そのにぎわいに大変満足して、この絵をつぶすのはもったいない、はじっこにロゴマークを入れるだけでいいということになった。恰幅《かっぷく》のいい、こんにゃくに似た気のいいおじさんだったので助かった。そして、完成したときに地方新聞とケーブルTVから取材が来るので、そのときに会社の名前を出してほしいと言われた。

はいはい、絵が助かるならなんでもしましょう、と思っている私は、もちろんにこにこして承諾した。そういう交渉や日程の調整を経てすっかりマネージャー業が板についたさゆりは、職を失ったらあんたのマネージャーになるわ、と言った。

「中島くん、ありがとう。絵は無事に完成しそうなの。全てがうまく運んだよ。」

近所の定食屋でしょうが焼き定食を食べながら、私はお礼を言った。

「そうかあ、やはり、看板と壁画をいっしょくたに考えるような人たちだから、マスコミに名前が売れた人には弱いんだね。」

中島くんはまた、身もふたもないことを言った。

この率直さはチイさんに通じるものがある気がする。

「まあ、それはどの国でも同じかもしれないね。」

「でもさ、日常的に歴史的建造物とか教会の天井に描いてあるすごい絵とかを見ている人たちを相手にすると、また違うかも知れないよ。僕は美術のことにはうといから、それがどれほどのものか全然知らないけれど、向こうに行ったらいろいろ見たいな、とは思うんだ。」

中島くんは、鯖《さば》煮込み定食を食べながら、答えた。

「僕は、そういう国では研究に関する目も違うような気がして、今からどきどきしているんだ。たちうちできないようなものがたくさんあふれていそうで。」

「それは私も同じ。あっちに行ったら、上野の美術館でわざわざ並んでやっと十五秒見たような絵を、好きなだけの時間、次々に見ることができる。数が違うもの。それに、教会の絵もいくらでも見学できる。私がいちばん興味があるのは、フレスコ画だから。」

私は言った。

「機会があったら絵の復元についても学びたいし、やりたいことがいくらでもあるわ。全てがこれから勉強することなの。中島くんと知り合ってから、私は興味のあることを、もっと勉強したいとはじめて思うようになったのよ。」

店は学生と独身男性でいっぱいで、TVでは野球をやっている。次々にオーダーの声があがり、店員さんが忙しそうに行き来している。外食をめったにしないので、全てが新鮮に見えた。穴から出てきたもぐらみたいに、みんなまぶしく見える。今日はお礼の気持ちを表すために、めずらしく外食にして私がおごることにしたのだった。たまにはいいかもしれない、と中島くんはしぶしぶついてきた。

近所の定食屋で久しぶりにごはんを食べる、それだけのこと。これもまた、ひとりでいたときにはつまらない日常の風景だったのだが、中島くんの意見のひとつひとつが別の宇宙につながっているので、日常が溶け出して異空間がかいま見える。

「それよりも僕が心配なのは、日本で知名度があがってちひろさんに仕事がたくさん来てしまって、パリに行く気がなくなることだ。」

中島くんは言った。

おみそ汁の中のしじみをひとつひとつていねいに食べている彼は、そう言いながら目を伏せていた。

「もちろん、仕事が入ったら、ぎりぎりまで、できるかぎり、日本中どこでも行ってやるけれど。それで、お金もぎりぎりまでかせぐけれど。」

私は言った。

「でも、私はパリに行くよ。中島くんとの生活が大事だし、とにかくかろうじてまだ若い今のうちに、私もうちのめされたいから。大きなものに。それでちょっとでも自分を向上させたいという気持ちが出てきたから。」

「よかった。」

中島くんは言った。

ほんとうに嬉《うれ》しいかもしれない、と思うことにはかえって感情を出さないのも彼の特徴だった。

夫婦の会話みたい、と私は思った。

夫婦ごっこ、父娘《おやこ》ごっこ、社会人ごっこ、何もかも全てがごっこ遊びの私。でもそれは、生き方とすりあわせるとそうせざるをえないからであって、そこに心がないわけではない。

ちょっと日程が厳しくて夜中まで居残ったことは何回かあったが、ついに壁画は完成した。

さゆりと園長と記念写真を撮り、お約束みたいに地方新聞の取材を受けて、TVカメラの前でこんにゃく会社の社長の名前をわざわざしっかりと出してお礼を言い、すっかり親しくなっていっしょにキャンプに行ったあとみたいになった子供たちと壁画の前で記念写真を撮り、打ち上げで焼き肉をおごられて。

その全てが終わった真夜中に、私は、門を乗り越えてひとりで忍び込み、壁画の前に立った。

終わってすぐに見るからだろうか、なんだかとてもすばらしく見えた。これまでの作品の中でいちばんよかった。誰も見ていなくても、闇に負けずに堂々としている。

かすかな自信がやっと私の胸の奥底にしっかりと碇《いかり》を降ろした。

これで、ここを後にしても大丈夫だと思った。

絵の中の猿たちは、時間がもったいないというふうに動き回っている。色彩は小さい爆発をいくつも重ね、虹《にじ》のように流れ出ている。

紅茶を飲んでいる猿と、ベッドに寝ている猿を見て、その時、私の中にあるひらめきが走った。

そうだ、私ひとりで、ミノくんたちのところへ行ってみよう。この壁画の写真を持っていって見せるついでに、あの妹に相談してみよう。あれは、どの線だったか、どうやって乗り換えたっけ、みずうみは何湖なんだろう？　そんなふうに思っているうちに、よっちゃんの言葉がふっと頭をよぎった。

「幽霊」

そして、ふと思った。

ほんとうはあんな場所はなくて、中島くんの頭の中にだけあるのかもしれない。あの人たちはみんなもうこの世にはいない人なのではないか？　よっちゃんの言っていることが、正しいのではないだろうか？

ぞうっとした。そのほうが、あの場所が実在したというよりもずっとしっくり来たのだ。

私はとても現実的で、そんなことを思うことはありえないのに……なぜかその考えが奇妙に状況にしっくりと合っていて、自分ごと記憶の霧の中で迷っているような感じが消えなかった。全てがほんとうにあったことではなくて、どこからどこまでが、この体で体験したものなのか、あいまいになるような、そういう力が中島くんにはあった。中島くんの存在自体が全然明るいところを目指してはいないという気がする。

　私は自分が心地いいし、多少恋心も持っているからそのことが気にならないのだが、ときどき感じるあの、ぞうっとする感じが少し気になった。

でもそれは、人と人がほんとうにつきあうときは、ほんとうはいつでもあるべきものなような気がする。

　普通それを感じないようにみんないっしょうけんめい取り繕っているというだけで、本来はきっと、あったものなのだ。

　この、深い闇《やみ》をのぞき込むような独特の淋《さび》しさは。

だって宇宙と宇宙が接するのだから、当然なのだ。

　私は、たとえば子供の頃にたくさんの吐瀉物《としやぶつ》を見たし、へべれけになったおばさんのブラジャーが背中の肉に食い込んでいるのなんかも見慣れているし、自分の幼い体をじろじろとなめまわすように眺めるおじさんだって見慣れていた。そして、その先にはもっとすごいことが……殺人が普通にある世界とか……があるのだろうな、と想像した。それは私の世界ではなかったけれど、そして私の両親の世界でもなかったけれど、どこかでぺろりと皮をめくったら、そこにつながる道がどこにでもあることもわかっていた。

そういう潜在的な重さをみな知っていながら、そしらぬふりをして生きている。毎日の中では、自分の見たいものだけを人は見るのだ。

でもたまに、中島くんみたいに「全部」を思い出させる存在がいる。彼自身がなにを言ったりしたりしているのでもないのに、彼を見ていると、この世の中全体の大きさを見つめることになる。それは、彼が一部を生きようとしていないからだ。何からも目をそらさないからだ。

いつでも私ははっと目が覚めたような気持ちになって、彼を見ていたいと思う。そういうことなのだろうと思う。そのおそろしい深みに畏怖《いふ》を感じる。

そして数日後の朝、私はひとりであの街へ向かった。

ひとりで降りると、駅はいっそうさびれて感じられた。こうこうと電気がついた巨大なスーパーだけが、午後の街で生きているように見える。お年寄りや、老《ふ》け込んだ感じの主婦がそこに吸い込まれていくように見えた。

駅前の一本道をどんどん歩いていくと、みずうみに抜ける道を見つけた。風の中に水の匂《にお》いが混じってくる。小さいボートハウスや、古びた釣り具屋や、閉まっている定食屋を通り過ぎて、みずうみのほとりに出た。

中島くんの不在でますますわかる、中島くんの愛《いと》おしさに私はおののいた。

このあいだここをふたりで歩いたときは、みずうみがもっときらきらと輝いて美しく見えた。私はすでに恋していたのだ。きっと。

今はただ静かなこのみずうみが、この世の営みから置き去りにされたように見えた。まだ霧も出ていなくて、むきだしの枝を日光が痛いほどに照らしている。

赤い鳥居を目指して、私は歩いて行った。まるで夢の中を歩くようなおぼつかない足取りだった。私は考えた。行ってみたらもう百年も人が住んでいない廃墟《はいきょ》だったら、どうしよう。それは、ありうることのように思えた。

しかし、あの小さい家が見えてきたとき、私はほっとし、そして、ぎょっとした。ミノくんが、ドアの前に立って、私に手を振っていたのだ。私はかけよった。

す。」

「どうして？」

私は言った。

「ちひろさんが一人で来るって、チイが言ったから。ドアの外で待っていたんで

ミノくんは言った。

「そんなことがわかってしまうなんて。それに、それを信じてワンちゃんみたいに待っていてくれるなんて。」

私は言って、思わずミノくんの頭をなでなでしてしまった。ほんとうにただでさえ犬みたいなつぶらな目をしているのに、ドアの前にちょこんと立っているなんて、たまらない気持ちになってしまう。

「犬じゃないですよ。」

ミノくんは笑った。

「どうぞ、あがってください。お茶をいれますから。」

私も笑って、後をついていった。

そして心底ほっとしていた。いたんだ、夢じゃなかったんだ。

むしろ、中島くんの異様な雰囲気が、ここを幻想にさせていたのだ。

家の中は前と同じようにきちっと片づいていたが、前よりも親しみやすく感じられた。同じところを二度訪問するとなぜかそういう感じがするものだが、まさにそれだった。安心してこの場にいられる。間取りも知っている。

ミノくんのお湯の沸かし方、お茶のいれ方をじっくりと見た。なにも変わったところはないのに、動作の切れがよかった。ゆったりと動いているのに、だらしなくない。茶道の上手なお手前を見ているようだった。

「技を盗もうとしてもだめですよ、ここの湧《わ》き水が大事なんだから。」

ミノくんは笑った。

「少し汲《く》んで帰ろうかな。」

「あとでご案内しますよ。」

ミノくんは言った。

少しいぶしたような香りがする葉でいれたその紅茶は、目が覚めるほどおいしかった。甘みがあり、最後のところでふっと果物のような香りがした。

「おいしい……。」

しみじみと私は言った。

「おっかしいなあ。」

ミノくんは言った。

「ふだん、あんまり外に出なくて、本だとか紅茶の葉だとか、たいていのものはネットで注文して、唯一《ゆいいつ》行くところは駅前のスーパーだけなんだ。それで、全然人に会いたいなんて思わないのに、こうやって人が自分のいれたお茶をほめてくれると、なんだか嬉しいものなんだね。」

「味がわかる人が言ってるからじゃない？」

私は言った。

「そうかもね。」

ミノくんは言った。

でも、私にはなんとなくわかっていた。

もしも私が中島くんの友達ではなくて、道でばったりと会った旅行者か、あるいはこのへんに観光に来てふとこのあばら屋に立ち寄った人間だとしたら、きっとミノくんはなから心を開いてくれることはなかっただろう。こんなふうに親しく話すこともありえなかっただろう。

そこがミノくんと中島くんのとてもよく似ているところだった。

彼らには普通の人にあるような、つめの甘さがまるで感じられない。まあいいか、目の前に人がいるし、感じよくしておこう、みたいなところがまるでないのだ。

そのことは、もしかしたら悲しいことなのかもしれないが、私をほっとさせる。それが普通のことなのだと思うからだ。

たいていの場合、どういう知り合い方で、どういう人か、それがわかったところで人間関係というものが始まるものだ。彼らにとっては、そういうことが、ぐちゃぐちゃになっているような気がするのだ。

たとえば子供は正直だがとても慎重なもので、はじめの日からいきなり私の横に座りこんで質問したりはしない。しつこく話しかけたり、はしゃいだりしだすまで一週間以上はいつだってかかる。

確かに彼らよりも人生経験の長い私としては、絵を描きながら思うことがある。どうせ最後はなかよくなるんだし、絵を描き終わったら私はいなくなってしまうよ、だから早くこっちにおいで、と。

でも、そんな条件があるからって、人と人の距離は速く埋まることはない。子供たちのほうが正しいのだ。

ミノくんには、よけいなものがないので、子供と同じようにじょじょに親しくなっていけるという安心感があった。

人間には必ず言葉だけではなく、肉体の距離がある。目を見て、匂《にお》いをかいで、紅茶を飲んで、確認していく瞬間の蓄積がある。それから縁というものもある。もしもあと二週間早く私との距離をつめてこようとしたら、私はきっと中島くんを嫌いになっていただろう。もち網の切なさに泣くこともなかっただろう。

「ここに、電車に乗ってきて、みずうみを回り込んでここまできて、ここで一杯のおいしい紅茶を飲むことが、くせになりそうな気がする。」

私は正直に言った。

「ミノくん、中島くんといっしょに、たまにここに来てもいいですか？　占いとしてではなく。」

「いいよ。」

ミノくんは静かに言った。

「そうしたら、僕たちの止まっていた時間も流れはじめるだろうね。」

それは、中島くんの時間でもあった。


「あなたはヒーローね。」

チイさんの声で、ミノくんが言った。ミノくんは目を閉じていた。

チイさんも目を閉じていた。寝息をすうすうたてて、胸を小さく上下させて、ふんわりと毛布にくるまっていた。

「それを言うならヒロインじゃない？」

私は言った。二回目なので、辛辣《しんらつ》さにも慣れておびえることなくリラックスしていた。

彼らにとても会いたいと言っていた中島くんの気持ちが、私にもよくわかった。

彼らはとても面白くていい人たちなのだ、基本的に。なにか土台のところで大きくゆがんでいるけれど、その上に彼らは健全な家のようなものを創《つく》っていた。普通に街に暮らしている人たちがとっくに放棄してしまったつつましさや上品さを、彼らはそうっと大切にして持っていた。

「ヒロインはノブくんよ。あなたは、自分で自分を閉じこめて牢獄《ろうごく》で眠っている彼を助け出したの。」

チイさんは言った。私はなんとなくわかる気がした。

「いっしょにパリに行きなさい。もしかしてあなたたちは当分あっちで暮らすことになるかもしれないけれど、それでも。」

チイさんは言った。

「あなたはまだ迷っているみたいだけれど、もう彼につかまってしまっているんじゃない？　彼もあなたにつかまってしまっていて、もうひとりでは生きられないのよ。私が、それをわからせる映像を見せてあげられると思うの。ちょっと手を貸して。」

見ると、チイさんが目を開けていた。その目の色の深さに私はぞっとした。彼女に触りたくないと感じたが、それは本能的に巨大なものを避けるという反応だろう、と思った。でも、わざわざここまで来たのだから、なんでもやろう、と決心して、私は彼女の手を握った。すべすべしていて、細い手だった。実生活に参加していない、眠り姫の手だ。

「眼を閉じて。私と呼吸を合わせてください。催眠術みたいだけれど、確かにそれに近いけれど、そうじゃない。ただ映像を共有するだけです。安心して。」

チイさんは言った。

私は、言われたとおりにした。目の前の暗いスクリーンには何も映っていなかった。しかし、じっとしばらくそうしていたら、頭の中に映像が浮かんできた。突然にそのイメージはやってきたのだ。

雪が降っている……。暗い空に、ほこりみたいに、鳥の羽根が舞うみたいに、ふわふわと漂っている雪が見えた。

私は空の上から雪を見ている。自分の下に、どんどん雪が舞い降りていくのでそうだとわかった。いつのまにか私はある一本の木の上にいて、木の下の道を見ている。これは街路樹だということが、だんだん見えてきた。道は普通の舗装道路で、雪は地面についてはふっと溶ける。路上駐車の車の屋根にだけ、うっすらと雪は積もっていく。

そして、向こうからたくさんの本がつまった鞄《かばん》を重そうに肩にかけて、中島くんが歩いてくる。どうして本が入っているかわかったのかと言うと、鞄がきっちりと四角くふくらんでいたからだ。

あ、中島くんだ。大好きだ、と私は反射的に思う。あの猫背の感じや、あの靴の中の足の指が長いところとか、好きだ。理屈ではない。

近づいてきた中島くんをよく見ると、なんだか痩《や》せて顔色が悪くて、ふらふらしていた。きっと何も食べずにぶっ通しで勉強しているのだろう、なにかを振り切るように。中島くんはふっと立ち止まり、上を見上げた。

多分そこでは透明な私と彼は目が合うこともなかった。

中島くんはふらっとそこに座りこんで、木にもたれた。人通りがなく、雪だけがふわふわと舞っていた。中島くんは雪を見ていた。きれいな目で見ていた。いいものを見ている人の顔で。

そして、中島くんは鞄をあけて、やはりぎっしりとつまっている本の間からなにかをゆっくりと、おぼつかない感じの動きで取り出した。それは、あのもち網だった。中島くんは体温計をはさむようにそれを脇《わき》にはさんで、目を閉じた。

「だめ！　そんなところで寝ちゃ！　死んじゃうよ！」

私は叫んだ。

叫んだ自分の声ではっと目覚めた。

チイさんが、私の手を取ったままで目を開けて私を見ていた。

そして、ミノくんがチイさんの声で言った。

「今のは、ノブくんの過去と未来の象徴。あれが彼に起こったことと、起こりうること。」

「それはいけないわ。」

はからずも涙をこぼしながら、私は言った。

ちょうどママの夢を見たときのように、どきどきしていた。

「あくまで実際の出来事ではなく、象徴だけれど、もちろん実際に起こりうるのよ。」

通訳なので、なんの感情もなくミノくんは言った。

でも、私には伝わってきた。その目の中にきらりと隠された悲しみの影が。

私は言った。

「わかりました。よく、わかりました。」

チイさんはもう起きていられない、というふうにくたっと横になって、また目を閉じた。

「きっと、パリではいいことがいっぱいあるよ。ここよりも暮らしやすいかもしれない。」

ミノくんが、ミノくんに戻って言った。それで、私はこのセッションが終わったことを知った。

「お支払いは？」

私が言うと、

「一万円いただきます。」

とミノくんが言った。

「安いのね。」

この雰囲気からして絶対に高額だと覚悟していた私は、拍子抜けしてしまった。

「誰からもそれ以上は取らないよ。」

ミノくんは言った。

そしてチイさんにお礼を言おうと思ってよく見たら、また目を閉じているチイさんの後ろには、この二人のお母さんの写真が飾ってあった。このあいだは全然気づかなかった。

ふたりにそっくりな少し小さくてゆがんだ形が、お母さんなのだとわからせたのだ。すっきりとした白木の額に入ったその写真は、まっすぐにこちらを見ていた。

そして、私はその人を知っている、と思った。TVで観《み》たことがあったのだ。

その瞬間、私は全《すべ》てを察した。

「ああ、ミノくん！　私ったら何も知らずに。」

ミノくんには私が言いたいことがみんな伝わったのだと思う。

ただ、うん、とうなずいた。

私はなにも言わないことにした。そして、

「じゃあ、おいとまします。」

と立ち上がった。最後にチイさんの手をぎゅっと握ったら、チイさんはぎゅっと握りかえしてきた。

そして部屋を出るとき、

「グッドラック。」

という、小鳥みたいなか細く高い声が聞こえた。

振り返っても、チイさんは眠っていた。

「久しぶりに聞いた、チイの声。」

ミノくんは言った。

「しゃべれるのなら、僕を使わなくてもいいのにさあ。」

「きっと、お兄ちゃんにも仕事が必要って思ってるんじゃない？」

私は言った。

「それに、しゃべるのってすごくエネルギーを使うから。」

「じゃあ、僕がいる意味はあるね。」

ミノくんは笑った。

「あるなんてものじゃないよ、みんなにとって、ミノくんは大切な存在よ。」

私は心からそう思って、そう言った。

ミノくんは黙っていた。

その黙りかたは中島くんと全く同じで、私の胸をしめつけた。この世に自分はいらないと思っている人の静けさだった。

もう一杯だけ紅茶を飲んで、私は外へ出た。ミノくんが空のペットボトルを持ってきた。湧《わ》き水をおみやげにするといい、と言って。

今日のみずうみにはさざ波がたっていた。少し風があるからだ。誰も乗っていないから、ボートもなんとなく淋《さび》しくつながれていて、さざ波のリズムでゆらゆらとゆれている。

私は非現実の世界にいるみたいにぼんやりとしていた。

みずうみに張り出した木の枝も小さく揺れている。それがたくさんの桜だということに気がついた。花の頃にはこのみずうみは、かすんだようなピンク色にふちどられるのだろう。

「桜が咲いたらさぞきれいでしょうね。」

私は言った。

「それが、この場所の一年でいちばんすばらしいイベントだよ。」

ミノくんは言った。見においでよ、と言うほどに親しげではなかったけれど、その言葉は、もう言われたのと同じ感じがした。

そして神社の境内にある湧き水のところまで、二人で古い石段を登っていった。登りきって振り向き、高いところから見ると、みずうみはミニチュアみたいにかわいらしく、緑に囲まれてこぢんまりとして見えた。ボートも模型みたいにきれいに並んでいた。

湧き水は冷たく、手でくんで飲んでみたら、少ししょっぱいような、硬い味がした。

境内には誰もいなくて、きれいに掃き清められた空間に鳥の声だけが響いていた。ここに、中島くんとお母さんも毎日のように水を汲《く》みにきたのだろう、と私は思った。互いにしがみつくように生きていた、その頃のふたりを思い描いた。傷つきすぎてなにがなんだかわからないほど損なわれていても、それが愛でないとは、誰にも言えないだろう。

ミノくんは言った。

「ちひろさんから見たら、もしかしてこのみずうみはいつでも夢の中の景色みたいに美しくてあいまいなものかもしれない。

でも、それははじめにちひろさんがノブを通してここを見たからなんだ。

ここではいろいろな日が、ちゃんとあるんだよ。みずうみはいろいろな顔を見せる。だからあきることはない。晴れてまぶしすぎて陽気な日もあれば、ボートがたくさん出てにぎやかなこともある。雪が湖面に溶けていくのをずっと見つめる日もあるし、曇っていて庭の木さえ薄汚れて見える日もある。自転車もがらくたみたいに感じられるような、くすんだ日も。

僕たちの時間は実は止まっていない。ゆっくりと、わからないくらいにだけれど、いつでも変化し続けている。僕は駅前の大きなスーパーに行って、子供たちにまじってアニメの絵が描いてあるカレーを買ったり、クーポン券を集めたりしている。バケツだって買う。トイレ掃除のブラシだって買う。それをえっちらおっちらと自転車で運んでくる。あの……」

ミノくんはそう言って、少し離れたところの雑貨屋を指さした。

「雑貨屋のおじさんは同じ町内会だから、スーパーで会えば車で送ってくれる。彼の実家が静岡なので、冬にはみかんをたくさんくれる。

でも、それ以上親しくなったりはしない。

神社の神主さんはノブくんの親戚《しんせき》だけれど、事務的なやりとりをしてにこにこするだけで、いっしょに食事をしたり、出かけたりは決してしない。僕たちはめったに誰も好きになったりしない。違う匂《にお》いがするから、人びとは僕たちを恐れている。僕たちも人びとがこわい。でも、僕たちは、ちゃんと生きている。ここで暮らしている。いびつだけれど、生きているんだ。一日一日。」

「わかってるよ。」

私は言った。

「きっと中島くんにもいつか、そのことはわかるよ。あなたたちは彼にとって、過去じゃないって。あんなに、苦しいのに、会いたくて会いたくて、会おうと思うと具合が悪くなってもとにかくなんとかして会いにきたいくらいに、会いたい人だから、会っていいんだということが。だから、これからは会いにくるだろうと思うよ。一度来たら、もう大丈夫だよ。中島くんは来るよ。いつでも、いつまでも、絶えることなく。」

ミノくんは黙って、深くうなずいた。

そして言った。

「さっき、写真を見たときは、うまく言えなかったけれど、僕たちを、絵に描いてくれて、ありがとう。もういないことになっている幽霊みたいな僕たちでも、生きているということを出会ってすぐにわかってくれて、ほんとうにありがとう。」

私がミノくんにそっくりなミノくんとチイさんのお母さんをTVで観たのは、ものすごく昔のことだった。

ミノくんのお母さんは、非人道的な行動をするある団体に子連れで入っていた悪い母親として、有名になった。

確か、ミノくんたちにお父さんはいなかったと思う。彼らは私生児だった。お父さんが誰だかわからない、ということだったのかもしれない。いろいろなスキャンダルが当時ニュースをにぎわせていた。そしていつでもミノくんのお母さんは、中島くんのお母さんが善の象徴だとしたら、悪の象徴として語られていた。

ものごとはそんなに単純ではないと思うのだが、どうしても報道ではそうなってしまったのだろう。

当時、私はまだ小学生だったのではないだろうか。もしも中島くんがもち網ではなくてお母さんの写真を見せてくれていたら、きっと私にはすぐにわかっただろう。そして、私がわかってしまうことを知っていて、中島くんは見せなかったのだろう。

中島くんのお母さんは、いつでも訴えていた。

「息子を返してください。まだ生きています、私にはわかります。母親だから、わかるんです。」

お母さんは、機会があればいつでもTVや、雑誌や、ラジオや、集会や、そういったものに登場して、くりかえし訴えた。子供が誘拐された日のことを。

中島くんは頭はとてもよかったのだが、よすぎて他の子供たちと少し違うところがあったので、施設に通っていた。その施設のサマーキャンプがあったので伊豆に行って、ある夕方に帰ってこなくなった。とにかくそれまではなにもスキャンダラスなことはなく、家族はとても幸せに暮らしていたのだと、お母さんは何回でも訴えた。

やがて、ある団体のことが話題にのぼるようになった。その団体は、宗教とは少し違っていて、ある理念に基づいて生活をし、理想の人類を育てる、というようなものだった。指導者的な存在はもちろんいて、その人の話を聴くために集まった人が山奥にコミューンを作り、ほとんど自給自足で暮らしているというような団体だった。

その団体に関してはずいぶん話題になったので、ニュースをほとんど見ない私も名前だけは知っている。誘拐のことが明るみに出て、今ではもう解散したか別の形でひっそりと続けられているか、どちらかだろうと思う。

実はそういう話はこの世にたくさんあるのだ。私もママの店で過ごしているとき、いろいろなお客さんからいろいろな話を聞いた。信じられないような話はたくさんあったし、誘拐と呼んでいいような話はたくさん聞いた。だいたい、そんなことを言ったら、十歳になる前に店になんとなくいてホステスみたいなことをしていた私だって、充分変わった理念の中で育てられていた。ただ、ママとパパの力に守られて、店に来るお客さんが私に手を出さなかったというだけで、自分しだいでいくらでもどうにでもなれる環境にあったのは確かだ。水商売というのはどんなに気取っても、人の心にたまったムラムラとしたものを解き放つ場を作っているものには違いないから、影響はたくさん受けているだろうと思う。私にはやはりちょっとだけだが、そういう影がある。夜の紫の匂いや、闇《やみ》の甘さが体にしみついている。客層があまり悪くなかったのでましだったけれど、それでも人がどこまで下品になれるかを知っているし、そういう人たちが昼間はどういうふうかも知っている。お酒が入るから下品になるのではなく、もともと下品だから下品になれるのだ。

私はその話をママの店で聞いたり、TVで観たりしていた記憶がある。他のそういう話とみごとに混じっていて、中島くんだけを拾い出すようなエピソードは私の中で全く見つからなかった。

中島くんのお母さんは決してあきらめなかった。ありとあらゆるTVや雑誌に出て、人探しだの超能力者に探してもらうだの、ニュースだの、特番だの……お母さんを見ない日はなかったと言っても過言ではないだろう。彼女は定期的にとにかく人前に出ていて、その話を決して忘れさらせはしなかった。

そして、私にとって強い印象を残したのは、事件そのものよりもお母さんのほうだった。いつでもおだやかな口調で、確信しか話さず、涙もめったに見せず、まっすぐ前を見ていた。

この人は、子供が見つかるまでは絶対になにを食べてもおいしいと感じず、寝ても淡い夢を見ることはなく、いつもこわくて濃い夢ばかりで、いい景色を見ても何も感じず、ただひとすじに息子を、遠くにいる子供を見つめている。つながろうとしている、そう感じた。

ほんとうに細い蜘蛛《くも》の糸みたいなものがたまに光を受けてきらめくのを決して見逃さず、ただそれをひたすらに集中してたぐっていくようなその力は、すさまじいものだった。それが愛情というもの、そして意志というものなのだと、お母さんの顔には描いてあった。まして中島くんが死んでいるなどともしも自分が思ったら、ほんとうに子供は死んでしまう、だから絶対にある一点だけを、信じて見つめるのだ、そういう顔をしていた。この世の全《すべ》ての母親の顔の原型、菩薩《ぼさつ》の顔だった。

そして、中島くんはついに発見された。日本中にビラを配り、写真をはり、TVに出てぼろぼろになるまで探し続けたお母さんの日々の全てが実ったのだ。

その団体から脱走してきた少年がいて、ふもとの村で保護され、たまたま中島くんのお母さんをTVで観《み》た人がいて、もしかしてあの話とこの話は関係あるのではないかと思って、警察に通報したのだった。

そのときは大ニュースになったのに、どうして私は全く覚えていなかったのだろう。まさか将来の自分に関係あることだとは思っていなかったからだろう。

たいへんだなあ、気の毒だなあ、もしも自分だったらどうするだろう？　そんな思いは一瞬だけ頭の中に浮かんで消えてしまったのだろう。だって私にはパパとママがいて、人生はまだこれからだった。なんという無知、そして健全さだったのだろう。

世界はこんなふうにめぐりめぐって生々しくひとつの皮でつながっているのに、私にはわからなかったのだ。

きっと私には一生彼らの気持ちはわからない。

そして皮肉なことに、その鈍さが彼らをほっとさせているのだ。

だから、私のような人間にも、この世にいる価値がちゃんとあるのだ。自分で「ある」とか「ない」とか考える前の外のところに、もっと大きくぐるぐる回る輪があって、その中にしっかりと組み込まれているのだ。

ある意味ではまるで、奴隷《どれい》みたいに。自分がどう思うかを別として、あらかじめ決まっていたかのように。

いつでも勘のいい中島くんはその夜、私を見るなりなにかを察した。

「あ。」

玄関を入った私の心の迷いが伝わったのだろう。

中島くんは私が靴を脱いで顔を上げたとたんにそう言った。

そして、そのまま、知らないふりをして、やりかけていた掃除に戻ろうとしていた。

中島くんは異様なきれい好きで、いつでも家を掃除してくれるので申し訳ないくらいだった。帰ると妙に清潔で、本の角などもそろっている部屋が待っていた。どうも私が得していることのほうが多い気がするくらいだった。しかも彼は掃除などものごとをはじめると途中でやめるということができないようで、それもあったのだろう。掃除は静かに続いていた。

その日、私には「もう今までのような気持ちのままでは中島くんに接することができない」という気持ちがあった。

謎《なぞ》だったときにはそれがどんなに極端な謎でも、多分耐えることができた。でもものごとが具体性を帯びた今は、想像に匂いや感触がついてきてしまう。

「なにか、とてつもなくたいへんな目にあったことがある」のと「誘拐されて、洗脳されていた時期がある」というのでは大違いだ。

全てがしっくりきた。肉体的接触への恐怖、その頃の友達に会うのがこわいということ、お母さんの中島くんに対する異様な心配、心と体を切り離して勉強に没頭できること、中島くんのお母さんに対する愛憎の分量、全てが、あたりまえすぎるほどにぴったりとしていて、謎の持つ甘みは一切消え、ずっしりと湿った重さだけが残っていた。

彼がそこで具体的にどういう暮らしをしていたのかとか、なぜセックスがこわくなったのかを、細部まで聞くことは一生ありえないかもしれないな、と私は思った。

「今の『あ』はなんだったの？」

ずいぶんたってから、私はたずねた。

彼にしては珍しく、掃除を中断して中島くんは私を見た。

そして中島くんは私の知っている、いつもの情けなくてかっこいい中島くんだった。首のところの毛がちょっとくせ毛でくるっと巻いていて、ちょっとだけ猫背で、静かに家の中を動く中島くんだった。乾いた手をしている中島くんだった。

そのことは私を安心させた。短いが、過去とは関係ない歴史がここにある。吹けば飛ぶような歴史だが、確かにある。

「……なにかに気づいたんだな、と思って。きっと、僕の昔のことに。」

中島くんは素直にそう言った。

「どうしてわかるの？」

私は言った。

「そういう人が何人もいたから、目でわかる。それに、ちひろさんがいつ気づくか、いつもどきどきしていたから。もちろん気づいてほしいという気持ちもどこかにはあった。」

中島くんは言った。

「僕のこと気持ち悪い？　もう僕たちはおしまいかなあ？」

私は中島くんの手を取って、骨がおれそうなくらいに強く強く自分の心臓に押しつけた。

「そんなこと言うもんじゃない。」

私は言った。

もしも、自分に子供がいたら、こう言うだろうという言い方だった。

それで中島くんも子供のように「うん」と言って、私たちは生活に戻った。

私はごはんを作り、中島くんは掃除の続きをした。引っ越す前の晩の人たちみたいに、もくもくと。まるで人生をやりなおすように。百年も前からそうしていたように。いろいろなことをなかったことにして、アダムとイブになってやりなおすくらいの決心で。

でもそれもまた、吹けば飛ぶような弱い土台の上の決心だった。

中島くんの過去がある限り、いつでも土台はくずれうる。人が人を破壊するとは、そういうことなのだと思った。

ごはんを食べ終わった後、中島くんが言った。

「これから、ちひろさんの壁画を見に行ってもいい？」

「いいけど、もう夜だからねえ、昼のほうがよく見えていいんじゃない？」

「もちろん昼も行くけど。今、散歩がてら見てこようかな、と思って。完成したんでしょ？」

いつでも見ることができるからと思って、完成したことを特に告げていなかったのだった。

「じゃあ、いっしょに行くよ。まだ今なら、守衛さんに言って、忘れ物を取りに来たと言えば通用するから。もうすっかり顔見知りだしね。壁の近くに街灯が立っているから、見えないっていうことはないと思うけれど、一応でっかい懐中電灯も持って行こうね。」

私は言った。

夜の道はむんむんと春の匂《にお》いがして、星もぼんやりとかすみの向こうに出ている感じだった。

歩きながら、ふいに中島くんは話し出した。

「僕は、そのとき通っていた学校みたいなもののサマーキャンプに参加していて、たまたま迷子になって、山の中に迷い込んでしまって、国道をふらふらと歩いていて、たまたまその人たちの車に乗せられてそのまま誘拐されたんだ。まだ、携帯電話が普及してない時代だった。」

から、その話ははじまった。

言葉が水のようにあふれだしてきて止まらないというようだった。

機械がこわれたみたいだ、と私は思った。

中島くんは、歩きながらしゃべりながら、胸の前でぎゅっと腕を組んでいた。

私はただ、うなずくしかできなかった。

「誘拐されるってどういうことかわかる？　誘拐した人たちを好きにならなくちゃいけないんだよ。そうしないと生きていけないんだ。

それがどういうことかわかる？

まず、記憶を消されたんだよ。催眠術と薬で。そしてここは日本ではないと思い込まされていたんだ。

僕は頭のいい子供だったから、催眠に抵抗する方法を知っていた。本で読んだのを、うろおぼえだったけれど、とにかくなんでもやってみようと思って、なんとか使ったんだ。

それは、あるものを見たらある人を思い出すように自己暗示をかけるやり方で、僕は伊豆にいるのだから絶対に海は近いだろうと思い立ち、海辺に立ったら、海を見たら、お母さんを思い出すように暗示をかけたんだ。そしてあとは身をまかせた。こわかったけれど、それは実際に有効だった。

何ヶ月かして、ふいに、瞑想《めいそう》のトレーニングで行った寒々しい真夜中の海で僕はお母さんを思い出した。ここが日本で、自分が誘拐されたのかもしれないということを思い出すのに、それからまた数日かかった。そこには、ミノくんたちみたいに、親ごとその集まりに参加していた人たちもたくさんいたから、僕はすっかりなじんでそういうものだと思いそうになっていた。ミノくんのお母さんはその組織の思想上の理由でミノくんたちと同じ部屋に住んでいなかったけれど、僕はミノくんとチイといっしょに寝ていたんだ。手をつないで、川の字になって。

で、昼は昼で様々なジャンルの教師が来て、ディスカッションしたり勉強したりするんだ。大人もいっしょにね。

思い出してきてはじめは混乱して気が狂いそうになったけれど、僕はそんなことおくびにも出さずに数日を過ごし、じょじょに自分のおかれている立場を観察したんだ。そしていちばん真実に近いと思うことを推測して、最終的には脱走することに決めた。

あの期間に気が狂ってもおかしくはなかったと思う。

自分が自分の中で暴走して、戦うんだ。

人間は、楽なほうに、痛みのないほうに、本能的に逃げようとする。

だから、今毎日いっしょにいる人たちが悪い人だということを思いたくないから、なんとかして、自分の思い出したことのほうを嘘《うそ》だと思う方に、勝手に頭が回っていくんだ。ミノくんたちと別れるのが純粋にいやだったし、もしも僕が脱走して、警察が来たら、ミノくんたちはどうなるんだろう？　そういうことを考えるのもこわかった。悪いほうへ悪いほうへと考えは流れていくんだ、そんなとき。

ここは外国か？　いや、日本のはずだ。僕はここで生まれ育ったんじゃないか？　いや、違う、誘拐されたんだ。誘拐は悪いことだ、なんとかしなくちゃいけない。いや、あのいい人たちを訴えてはいけない。どのくらいここにいた？　すごく長く？　まだお母さんは生きている？　もう、なにもわからなかった。僕の頭に浮かぶのはお母さんか？　いや、違う、母というものがほしくて作った幻想だ……そういうふうに、なにもかもが入り混じって自分を襲ってきた。表面的なものではなくって、根こそぎ持っていかれるくらいに頭の中がばらばらになって、精神的に不安定になってきた。

それで、ミノくんに思い切って相談したんだ。

ミノくんは、夜中に、小さい声で言った。

『多分、ノブが言っていることが合ってるのだと思う。僕は赤ん坊のときからこの人たちといるからわからないけれど、でも、ノブは、きっとさらわれたんだと思う。ノブのお母さんがここにいないのもおかしい。それに、ここは日本だよ。絶対に。みんなそう言わないようにしているみたいだけれど。』

って。ミノくんは、自分たちがどうなるかわからないのに、自分の意見を言ってくれたんだ。それはある意味では命がけの行為で、僕は彼に頭があがらない、一生。なのに、なかなか会いには行けなかったけど。

チイが寝てばかりいるのも、僕がやたらにだるくなるのも、心の傷のせいなんかじゃない。そのときに過剰に薬物をとって、肝臓《かんぞう》がやられてしまったからだ。ミノくんはずいぶんと元気になってきたけれど、それでも、まだ健康そのものとは言えないだろうと思う。

ミノくんのお母さんは、あの団体が解散してからすぐに肝臓癌《がん》で死んだ。ミノくんの今いる家は神社で物置や客間みたいに使っていたのだけれど、それで一時期僕とおふくろも住むことができたんだけれど、後にミノくんのお母さんが死んだとき、彼らにただで住んでもらうことに決めたんだ。いつまででも使ってもらえるといいと、僕たちは思った。それに、僕のしたことが彼らにとってよかったことなのか、僕にはいまだによくわからないところがあるから。僕が脱走しても密告はしないで、彼らだけはあのままあそこに一生いたら、そのほうが彼らにとってよかったのかな、って時々考えることがあるんだ。だから、実際に彼らの新しい生活の役に立ちたかったし、世間から保護したかったんだ。それはおふくろも同じ気持ちだったよ。」

中島くんの腕は胸の前のあたりで固く組まれ、いつもの道がなんとなく浮いてゆがんで見えた。

私はこつこつと歩きながら、ただ、その話を聞いていた。

「もともとあの団体の人たちはそこに住んでいたわけではなく、日本中を点々として落ち着ける場所を探している時期だったらしいから、様々な人が出入りしていた。知らない顔の人が急にいたり、さっきまでいた人がいなくなることは普通のことだったから、脱走はそんなにむつかしいことではなかった。

いちばんこわかったのは、どこまで行ってもどこにもたどりつけなくて、人のいるところに出たらそこはほんとうに外国で、言葉が通じなくて、思い出したと思ったことはみんな幻想だとしたら？　って思ってしまったことだ。パスポートがないから、いずれにしても僕の思っている『家』には帰れない。僕はあそこに戻ってまた暮らしていかなくてはならないんだ。希望もなく。もし、それが真実だったら？そういうふうに思って止まらなくなったことだ。

そうしたら、もしそうだったら、もういっそ死んでしまいたいとほんとうに思った。

僕の抱いていた小さな夢のようなものが、もうこの世には存在しないんだと思ったら、だよ。おふくろそのものが夢だったわけではないんだよ。僕がこの世に生まれてきたその背景だとか、親が僕にたくした希望とか愛情とかに裏打ちされた僕の人生の自由の香り、そうしたものが、その頃、子供の僕の全《すべ》てだったんだ。頭の中がぐるぐる回って、目の前がほんとうに暗くなって、僕はもうその場で横になってしまいたかった。

でも僕にはミノくんがいた。ミノくんの言葉が、そのときの現実として、僕の頭の中に心強く刻み込まれていた。

ミノくんは僕にとって確かなものだった。それに、彼がここは日本の下田というところだと思うよ、誰もそうは言わないけれど、多分そうだと思う、と推測で教えてくれなければ、僕はもっと心細かっただろう。

ミノくんはあの不思議な妹から得る情報でいろいろなことにとっくに気づきはじめていたんだ。ミノくんは、妹の不思議な力が大人たちに知れて、ミノくんのお母さんの立場がますます強くなり、ますますあの団体に長く滞在することになるのを内心で恐れていた。それで妹の言うことを大人には隠そうとしていたけれど、それはとてもむつかしいことだった。だから、僕が彼らをあそこから救い出すしかなかったんだ。でもそれが彼らにとって救い出すという言葉に値したかどうかはわからない。だって、彼らの両親、多分お父さんももともとあそこにいた人だったから。その傷とか絶望は僕よりもずっと深いだろう。

ミノくんが僕にしてくれたこと、その気高い行為は、彼の安定をくずしたと思う。彼の妹の安定をもくずした。それが偽りの安定だったとしても、その時点では確かなものだったんだ。その後全てが変わってしまった。しかし、たとえ僕やチイを救いたかったからだとしてもそれは彼自身が望んだことで、その愛の行為こそが彼を今でもあんなふうに微笑《ほほえ》ませているものなんだ。

僕は林の中を、ミノくんの言葉と母のことだけを考えて一心に歩いた。

洗脳がとけるときのことを、すっきりするとか目が覚めるとか思っている人は意外に多いと思うんだけれど、そんなものじゃない。なんだかだるくて、はっきりしなくて、みじめな感じになるんだよ。実際は。なにもこれから先いいことはないような気持ちだった。それがずいぶん長いこと続いたんだけどね、でも、そのとき暗い山道での僕はとにかく必死だった。自分がばらばらになってしまわないように、まとめておくことで必死だった。

やがて明かりが見えてきて、僕はどきどきして、頭が割れるように痛くなって、これまでに聞いたこわい話が全てのしかかってくるように思えてたまらなくなった。でも歩いた。転がり落ちるように電気の下に出たんだ。そこは、なんだかわからないけれど、柵《さく》に囲まれた空間で、美しいものにじっと見られているという感じがしたので、そちらのほうにふらふらと歩いていってみたら、馬小屋があって、馬が五頭ずらっと並んでこちらを見ていたんだ。

馬は僕を見てもなぜかおびえたりあばれたりせず、じっとじっと僕を見ていた。その黒い目が、つやつやに光った毛が、僕をすっかり落ち着かせた。僕は馬に手をのばして、触ってみた。噛《か》まれるのはこわくなかったんだ。美しいからただ触ってみた。そうしたら馬の肌はとてもあたたかくて、動物の匂いがしてきて、毛のかたいような芝生のような感触が心地よくて、涙が出てきた。馬は特になにを思うでもなく僕を見ていたけれど、その目はみずうみのように、吸い込まれるようにきれいだった。

僕は一生馬に感謝すると思う。

馬が、あの野生の瞳《ひとみ》で、僕を元に戻し、大丈夫にしてくれたんだ。

僕は自分をしっかりと立てなおして……そう、そこは、小さな乗馬クラブだったんだ。乗馬クラブのクラブハウスの入り口をノックした。中では乗馬を終えた人たちと、オーナー夫婦がコーヒーを飲みながら歓談していて、僕を見てぎょっとしたようだったけれど、そこの奥さんが僕の様子はただごとではないととっさに判断したんだろう。入りなさいって言って、奥のいすに座らせて、コーヒーをいれてくれた。コーヒーの匂《にお》い以上に、その奥さんからはお母さんの匂いがした。子供から目を離さなくて、いつでも子供のことを先に考えているお母さんの生臭いようないい匂いがしたんだ。僕はそれが懐《なつ》かしくて懐かしくて涙が止まらなかった。

『日本人なんですね？　やはりここは日本なんですね？　お願いします、警察を呼んでください。僕は今、自分の名前もほんとうには思い出せないのです。誘拐されたのです。』

僕は泣きながらそればかりをくりかえした。

そして、その場にいたお客さんたちが僕を知っている、僕の母親をＴＶで観《み》たことがある、と言い出して、ご主人がすぐに警察に電話してくれた。

くわしいことは後で聞くから、と奥さんはコーヒーとカレーを僕に出してくれた。

肉がごろごろ入っていて、それも懐かしかった。あの中では肉は一切食べてはいけないことになっていたから。

それで、お母さんという生き物は、状況もなにも関係なく、まず冷えた人をあたためて、お腹《なか》が空《す》いている人に何か食べさせようと思う。そういうものだったと僕は思い出した。切実に、生々しく思い出したんだ。もう思い出してもいいんだ、そう思って泣きたかったけれど、涙は出なかった。心はじょじょにしかほどけていかなかったんだ。」

学校に着いたので、守衛さんにあいさつしているあいだ、中島くんの話は中断した。

そして、小さい門を通りながら、私ははじめてたずねた。

「帰ってから、お母さんと、あのみずうみの家にすぐに行ったの？」

中島くんはうなずいた。話す速度がじょじょに落ちていた。

「僕は、もう十歳になろうとしていたのに、僕が戻ってからおふくろは毎日僕と同じふとんで寝て、ぎゅっと抱いてくれたよ。それで、朝起きると僕の顔を見て大泣きするのが三ヶ月続いたよ。目をつぶっていても、誰かが自分の寝顔を見ている、そのしめつけられるような感じをよく覚えている。目をあけたらおふくろの泣き顔があるということがわかっていたから、僕はずっと寝たふりをしていた。その重さと言ったらね、きっと君にとってえたいがしれない今の僕よりも重いよ。そのあまりのすごさに、おやじがばかばかしくなって離れていったくらいだから。」

中島くんは笑った。

「おふくろの気が狂ってしまうんじゃないかと心配して、頼み込んで、ほんとうは僕だけが通うことになっていたんだけれど、ずっといっしょにカウンセリングに通ったんだ。そんな状態でもおふくろはマスコミの人たちが取材にくると、体をはって守ってくれたし、失った時間を取り戻そうって言って、たまにはおやじもいっしょに、いろんなところにいっしょに行ったよ、遊園地だとか。

はじめ、僕は表情もなくて、なにをしていても硬かったらしいけど、それはなんだかうまく感情が表に出せなかっただけなんだよ。内側ではいろいろ思っているのに、どうしても外に出せなかったんだ。それでも毎日の中でだんだんだんだんなにかがあっためられて解凍されていったんだ。おふくろのことをもう一回大好きになって、だんだん自分に戻ってきたんだ。よくおぼえているよ、その過程を。まで、少し落ち着いてから、しばらく静かに暮らしたほうがいいという医者のすすめで、あのみずうみのほとりで暮らしたんだ。」

中島くんは、そういう体験をしていたからこそ、私にも、誰にも重さをかけたくないと、自分のことは自分でやっていこうと人一倍強く決めたのだろう。

私は思った。中島くんの話は続いていた。

「僕はただひたすらに虐待《ぎゃくたい》されていたわけじゃなくって、スーパー人間を創《つく》ろうとしていた人たちに修行させられていただけだから、ある意味ではみんな親切だったし、飯なんか海の幸いっぱいでいつもおいしかったし、友達がいたから毎日遊んでけっこう楽しかったんだけど、そこにいた大人の人たちに関しては均質で、おふくろみたいに、いろいろな感情で色のついた存在じゃなかったんだ。

僕は、論理的だとか冷静というのと均質で静かというのは全く違うということを身をもって学んだよ。均質っていうのは、自分をなくしているからなれる状態なんだ。

そこから出てからすぐにのみこまれたおふくろの愛は、僕にとって、濃すぎる味のスープみたいに、深くしみたんだ。おふくろの感情の流れを、僕は余計なびらびらがいっぱいついた服のように思った。

でも、結果的に、おふくろは僕のせいでおやじと別れ、寿命も縮めて死んでしまったような気がする。その感じは決して非科学的なものではなく、ものすごく普通のことのように思えた。僕を取り戻すための代償として、ちゃんと意図を持ってエネルギーを使った結果だった。ちょうどその使い果たした分だけが人生から奪い去られた、そういうものだという気がする。おふくろはそのことを知っていて、その力を使ったのだと今でも思う。

僕ももちろんそう長く生きる感じはしないんだけれど、だからこそ、僕の命なんておふくろにあげたのに、ってほんとうに普通に思ったよ。でもおふくろのように深いところからそれを祈ることができたわけではないんだということを思い知った。おふくろは骨の髄まで、体中の力を最後の一滴まで使って、僕に続く細い糸をたぐりよせたんだ。

僕はもうずいぶんとあちこちをこわされてしまったから、まともに生きていける感じがもうずいぶんと前からないんだ。でも、おふくろがいたおかげで、僕の人生は結局帳尻《ちょうじり》が合っていつのまにかいいものになってきたよ。ただ、おふくろがぼろぼろになって僕を探していたあいだに、僕はさしみとか食って友達と笑ってたり、性の歓《よろこ》びを味わっていた、そういうのだけが今、少し悲しい感じがするんだ。」

中島くんは、言った。

この話をすると泣いちゃうと言って、ほんとうに涙を流した。

お母さんと中島くんは失われた日々を取り戻すために恋人同士みたいに毎日いっしょにいて、そして結局それが人生の中のもっともよき日々、すばらしい思い出になってしまったのだった。中島くんにはきっともうそれ以上のことは訪れないだろうと私も思った。最高のことを胸に抱えて生きているから、彼にはある種の哀《かな》しみと余裕があったのだろう。

「でも感情なんてなんでもないことだよ。僕にはそれはよくわかってる。みずうみでの暮らしの最上の思い出がおふくろであるように、おふくろと暮らすようになってからは、いつでもミノくんとチイといっしょに泳いだ海が楽しいこととして浮かんできた……下田の海はいつでも波が荒くて、お互いが見えたり隠れたりした。意味もなく笑い転げたり、転んだり、波に飲まれたりして、息が苦しくなるまで遊んだ。

『いいこと』として集めたらそういうくくりでの無限の組み合わせが、『つらいこと』という題で集めればそういう思い出が脳だか心だかからどんどん呼び出されてくるだけで、別にそこには意味はない。

結果が悪かったからといって、おふくろと僕の間柄がなにひとつ変わるわけでもないんだ。おふくろと手をつないでみずうみのほとりをゆっくりと歩いたことも、あの海で僕たちが笑い転げたことも、かもめを見ていたことも、なにも変わらない。良くも悪くもない、ただあの光景は永遠に同じ質量でここに、僕の中にある、そういうことだと思う。朝日のピンクは夕陽のピンクよりもなんとなく明るく見える気がするとか、気分が沈んでいると景色も暗く見えるとか、そういう感覚的なフィルターはあることはあるけれど、そこに実際にあるものは変わらない。ただ、そういうことがあったというだけだ。

もしかしたら結果が悪かったということさえ、言えないのかもしれない。確かに僕の人生はちょっとした偶然の積み重ねでずたずたに壊され、情熱のありすぎる手でむちゃくちゃにつなぎあわされた。それでつぎはぎの変な奴《やつ》になっちゃった。でも、僕の人生は確かにある。ゆがんでいて、へとへとで、罪悪感に満ちた弱々しいものだけれど、なにかしらがそこにある。それはいつだって僕の感情を超えたすばらしい何かなんだ。」

中島くんはまるでいやいや決心をした人のように、しみじみとそう言った。

壊れたことがない私にとっては、受け入れることはたやすかった。世界のどこに行ったって、人間はだいたいそんなものなのだ。いちいち全《すべ》ての間違いを許し、好きになる必要はない、そう思ってゆるやかなレベルで多少許すのだ。

例えば、整形しまくって若死にした未婚で私生児がいるバーのママにすぎなかった不器用で計算ができないママを、あのださいイタリアンレストランで天狗《てんぐ》になってるパパを。そこからしか何もはじまらない。

中島くんにとってそれはより困難なことだろう。全部の振幅が大きすぎるからだ。でも、毎日がくだらないくりかえしで、いっしょにいるのも同じ人間で、その中で起こる小さな心の飛翔《ひしょう》だけが世界を多少は彩《いろど》る……そんなことにいつしか慣れきってしまうことがもしもできれば、何かが少しずつ変わっていくかもしれない。

街灯で照らされている上に、満月近い月がかなり明るかったので、壁の絵は少し離れたところからでもよく見えた。色はさすがに昼間ほどよく見えなかったけれど、はじっこのほうが闇《やみ》にぼうっと消えているようすがとても神秘的だった。

「ほら、今のみんなをここに描いたんだよ。」と私はちょっと誇らしげに言った。

「うわあ、こういう絵なんだ。」と中島くんは壁をじっと見てくれた。真剣に勉強をしているときと同じ顔つきをしていたので、なんだか私は嬉《うれ》しかった。

単純に誇らしいとか、笑えるとか、体をのばすとか縮めるとか、そういうことがとても大切に思える。

私も確実にいろいろなことから立ちなおりつつあったのだろう。

先に立ちなおって、これから行く道で手をひいてあげたかった。はじめてミノくんの家に行ったときのように、なんの下心もなく、本能的に体を寄せて。

私は絵を見ながら、ゆっくりと説明した。

暗い、誰もいない園庭に、私の声が低く響いた。

「これが、中島くん。木陰でのんびりとバナナを食べているの。これが中島くんのお母さん、いつも中島くんの近くで笑っているの。それで、これがみずうみで、これがあの神社でしょ？　で、これがミノくん。紅茶をいれて笑っています。背も小さいでしょ。それから、これがチイさん。天蓋《てんがい》つきのベッドで寝ています。お姫様のおサルさんよ、誰にも意味はわからなくても、ここは幸せな世界なの。誰にもこわせない。それで誰も意味を知らないまま、この壁はみんなの目に入って、そしてやがて壊されて、この世からなくなってしまう。でも、みんなの潜在意識の中に、幸せなあなたたちがちょっとだけ残っているの。いいでしょ？」

中島くんは、黙ってうなずいた。

最近僕は涙もろくて、と言いながら、鼻をすすっていたので、私は彼のほうを見なかった。なんだよ、これじゃ恋愛じゃないよ、ボランティアだよ、と私は心の中で毒づいた。ここは感動して男が女を抱きしめて、女が泣くシーンじゃないのか？と。

そして、私たちはいつまでも、体が冷えるまで壁の前に立っていた。

この絵のことをあとで思うとき、いつでも今夜のことを思い出すだろう。

私たちがどこでどうしていようと。

「ねえ、うまく聞けるかどうかわからないんだけれど、ちひろさんから見て、彼らは、不幸そうに見えたかな。」

帰り道、ずっと黙っていた中島くんは歩きながら、かすれるような声でそう言った。

私は真剣に考えた。

ここで嘘《うそ》をついたらみんな嘘になってしまう気がした。

表面に見えるもの、それからその一枚下に見えるもの。おいしい紅茶、ほこりっぽい部屋、窓の外のきらきらしたみずうみ……。

ミルフィーユのように何枚にも重なったいろいろな印象をひとつになんとかまとめてみる。そして、質問に答える。

「不幸そうではない。決して。別に幸せそうでもない。不幸なときもあるだろうし、幸せなこともあるだろう、というふうに見える。」

私は言った。

「よかった。」

中島くんは安堵《あんど》したようすだった。

彼との会話はある意味では真剣勝負だったけれど、私はそれが嫌いでなかった。

むしろ好きだった。

「ちひろさんはね、思うにやはり、ほんとうに数少ない、気持ちの暴力が少ない人なんだ。」

中島くんは言った。

「そんなことないよ。私だって、おそろしいものはきっと抱えているよ、人間なら誰だってそうだよ。」

私は言った。

「ないとは言ってない。少ないんだ。それだけでいいんだ、僕には。失うのがこわすぎて、君にもこれ以上は近づけないと思った。でもそんなこと関係なく君は毎日いて、人のことは関係ない、自分の世界にいる。はっきりとした輪郭で、手や体を動かして絵を描いていて、それが僕を安心させる。でも、あまりにも楽天的だから、君のそういうところ、僕は少し苦手。信用するのがこわくなる。でも、ひきつけられる。いっそこわしてやりたい、と思うんだけれど、好きだからできない。」

中島くんは言って、最後にちょっと笑顔を見せた。

「そういうこと言えるようになってきて、よかったね。」

私は、ほんとうにそう思って、言った。

「バカ、ちひろさんなんかとパリに行くもんか。」

子供みたいに中島くんが言った。

「いいよ、ひとりで行ってきたら?」

私は笑った。

「いいよ、ひとりで行ってじっと待ってるから。でも、それとは別に、いつか下田にいっしょに行ってくれるかな? いつか、あの場所に行って、そしてあの乗馬クラブに行って、あの人たちや、なによりも馬たちにお礼を言いたいんだ。でも、今はまだむつかしい。とてもじゃないけれど、まだ考えられない。」

「じゃあ、いつか、パリから里帰りしたときに、勢いで行っちゃおう。夏ならいっしょに泳げるかもしれないし。」

別に楽しいことを話すようにでもなく、もちろん悲しいことを話すようにでもなく、いつもの町内をぶらぶらと歩きながら、私と中島くんは話していた。そこには安心感と共に、どうしてか不思議な緊張があった。このような会話のひとつひとつがいつなくなるかしれない、貴重なもので、この時間が奇跡的にここにあるのだというような感じだ。

なぜ、いっしょにいるのに、こんなにも遠いのだろう。

冷たい水で顔を洗うような、気持ちのいい淋《さび》しさだった。

「その前に、またミノくんたちに会いに、あのみずうみに行こう。桜にふちどられたみずうみを見ようよ。」

私は言った。

「うん、また行ってくれるかな、いっしょに。」

中島くんは言った。

「何回も行っているうちに大丈夫になるかもしれないから。いろいろなことが。」

私は言った。こんなにもあぶなっかしいふたりだというのに、薄い氷の上を歩いているような、どちらかが転んだら共倒れになるくらい、弱々しい組み合わせなのに、私は確信を持って、そういうふうに言った。

そんなふうにしているふたりがまるで、雲の上に輝いて見えるようだったのだ。

「うん、彼らも喜ぶと思う。」

中島くんは言った。

「いつか、起きて歩き回るようになったチイにも、会えるかもしれない。」

それはありえないことかもしれないけれど、かすかな希望を持って悪いということはない。その希望のわずかな熱で凍えた手足をあたためてはいけないなんて、誰にも言えない。

「とりあえず今から家に帰ったら、おいしい水で紅茶をいれるね。ミノくんほどおいしくはいれられないけれどね。」

私は言った。

この作品は平成十七年十二月有限会社フォイルより刊行された。

なんくるない
よしもとばなな著

どうにかなるさ、大丈夫。沖縄という場所が、人が、言葉が、声ならぬ声をかけてくる――。何かに感謝したくなる四つの滋味深い物語。

王国 ―その1 アンドロメダ・ハイツ―
よしもとばなな著

愛と尊敬の上に築かれる新しい我が家。大きな愛情の輪に守られた、特別な力を受け継ぐ女の子の物語。ライフワーク長編第1部！

王国 ―その2 痛み、失われたものの影、そして魔法―
よしもとばなな著

この光こそが人間の姿なんだ。都会暮らしに戸惑う雫石のふるえる魂を、楓やおばあちゃんが彼方から導く。待望の『王国』続編！

どんぐり姉妹
よしもとばなな著

姉はどん子、妹はぐり子。たわいない会話に命が輝く小さな相談サイトの物語。メールに祈りを乗せて、どんぐり姉妹は今日もゆく！

さきちゃんたちの夜
よしもとばなな著

友を捜す早紀《さき》。小鬼と亡きおばに導かれる紗《さ》季《き》。秘伝の豆スープを受け継ぐ咲《さき》。〈さきちゃん〉の人生が奇跡にきらめく最高の短編集。

なるほどの対話
河合隼雄
吉本ばなな著

個性的な二人のホンネはとてつもなく面白く、ふかい！ 対話の達人と言葉の名手が、自分のこと、若者のこと、仕事のことを語り尽す。

角田光代著
さがしもの
「おばあちゃん、幽霊になってもこれが読みたかったの？」運命を変え、世界につながる小さな魔法「本」への愛にあふれた短編集。

角田光代著
しあわせのねだん
私たちはお金を使うとき、べつのものも確実に手に入れている。家計簿名人のカクタさんがサイフの中身を大公開してお金の謎に迫る。

角田光代
鏡リュウジ著
12星座の恋物語
夢のコラボがついに実現！12の星座の真実に迫る上質のラブストーリー&ホロスコープガイド。星占いを愛する全ての人に贈ります。

角田光代著
くまちゃん
この人は私の人生を変えてくれる？ふる／ふられるでつながった男女の輪に、恋の理想と現実を描く共感度満点の「ふられ小説」。

角田光代著
よなかの散歩
役に立つ話はないです。だって役に立つことなんて何の役にも立たないもの。共感保証付、小説家カクタさんの生活味わいエッセイ！

角田光代著
今日も
ごちそうさまでした
苦手だった野菜が、きのこが、青魚が……こんなに美味しい！読むほどに、次のごはんが待ち遠しくなる絶品食べものエッセイ。

三浦しをん著

格闘する者に○《まる》

漫画編集者になりたい――就職戦線で知る、世間の荒波と仰天の実態。妄想力全開で描く格闘の日々。才気あふれる小説デビュー作。

三浦しをん著

しをんのしおり

気分は乙女？　妄想は炸裂！　色恋だけじゃ、ものたりない！　なぜだかおかしな日常がドラマチックに展開する、ミラクルエッセイ。

三浦しをん著

人生激場

世間を騒がせるワイドショー的ネタも、なぜかシュールに読みとってしまうしをん的視線。乙女心の複雑パワー、妄想全開のエッセイ。

加藤陽子著

それでも、日本人は「戦争」を選んだ

小林秀雄賞受賞

日清戦争から太平洋戦争まで多大な犠牲を払い列強に挑んだ日本。開戦の論理を繰り返し正当化したものは何か。白熱の近現代史講義。

湊かなえ著

母性

中庭で倒れていた娘。母は嘆く。「愛能う限り、大切に育ててきたのに」――これは事故か、自殺か。圧倒的に新しい〝母と娘〟の物語《ミステリー》。

群ようこ著

おんなのるつぼ

電車で化粧？　パジャマでコンビニ⁇　肩ひじ張る気もないけれど、女としては一言いいたい。「それでいいのか、お嬢さん」。

新潮文庫最新刊

越谷オサム著
次の電車が来るまえに
故郷へ向かう新幹線。乗り合わせた人々から想起される父の記憶――。鉄道を背景にして心のつながりを描く人生のスケッチ、全5話。

西條奈加著
金春屋ゴメス
日本ファンタジーノベル大賞受賞
近未来の日本に「江戸国」が出現。入国した辰次郎は「金春屋ゴメス」こと長崎奉行馬込播磨守に命じられて、謎の流行病の正体に迫る。

石原慎太郎著
わが人生の時の時
海中深くで訪れる窒素酔い、ひとだまを摑まえた男、身をかすめた落雷の閃光、弟の臨終の一瞬。凄絶な瞬間を描く珠玉の掌編40編。

石原良純著
石原家の人びと
厳しくも温かい独特の家風を作り上げた父・慎太郎、昭和の大スター叔父・裕次郎――逸話と伝説に満ちた一族の意外な素顔を描く。

小林快次著
恐竜まみれ
―発掘現場は今日も命がけ―
カムイサウルス――日本初の恐竜全身骨格はこうして発見された。世界で知られる恐竜研究者が描く、情熱と興奮の発掘記。

小松貴著
昆虫学者はやめられない
〝化学兵器〟を搭載したゴミムシ、メスにプレゼントを贈るクモなど驚きに満ちた虫たちの世界を、気鋭の研究者が軽快に描き出す。

みずうみ

新潮文庫　よ - 18 - 21

平成二十年十二月一日 発行
令和四年七月十五日 四刷

著者　よしもとばなな
発行者　佐藤隆信
発行所　株式会社 新潮社

郵便番号 一六二―八七一一
東京都新宿区矢来町七一
電話 編集部(〇三)三二六六―五四四〇
読者係(〇三)三二六六―五一一一
http://www.shinchosha.co.jp

価格はカバーに表示してあります。

印刷・錦明印刷株式会社　製本・錦明印刷株式会社

ISBN978-4-10-135932-8 C0193